JN187921

PT・OTのための
測定評価シリーズ 7

片麻痺機能検査
協調性検査

症例収録 新装版

監修
伊藤俊一

編集
久保田健太
隈元庸夫

三輪書店

監　修　**伊藤俊一**

北海道千歳リハビリテーション大学

編　集　**久保田健太**

北海道千歳リハビリテーション大学

隈元庸夫

北海道千歳リハビリテーション大学

執　筆　**隈元庸夫**

北海道千歳リハビリテーション大学

久保田健太

北海道千歳リハビリテーション大学

信太雅洋

北海道千歳リハビリテーション大学

田中昌史

日本理学療法士協会

【映　像】有限会社写楽

【撮　影】酒井和彦

【撮影協力】北海道千歳リハビリテーション学院

監修のことば

理学療法および作業療法評価は，観察・問診にはじまり，検査・測定，統合・解釈，そして問題点の抽出，治療プログラムの立案，介入，介入効果の判定へと続くための一連の思考過程の第一歩とされています．したがって，理学療法および作業療法評価は治療介入と表裏一体の関係にあり，臨床での対象の現象把握のために理論的な分析・判断・解釈に不可欠な根拠や判断基準となります．このため，評価に求められる条件として，評価自体が標準化されていること，評価法や評価値に信頼性・妥当性があること，臨床でできる限り簡便に実施でき実用性があること，などが不可欠となります．しかし，理学療法および作業療法評価では客観的評価ばかりでなく主観的評価も混在すること，評価結果の統合・解釈に療法士間で必ずしも一致しない場合があることなど，評価の重要性が示される中で，その標準化や定型化がきわめて難しいとされるゆえんともされています．

PT・OTのための測定評価 Seriesでは，2006年より理学療法および作業療法評価法の中でも臨床上で特に重要視されている「ROM（関節可動域）」「形態測定・感覚検査・反射検査」「MMT（徒手筋力テスト）」「バランス検査」「整形外科的検査」などの一般に標準とされる評価法に対して測定値や解釈に対する信頼性・妥当性を可能な限り向上させることを目的として制作してきました．そのため臨床でより精度の高い評価が実施できるようにDVD*を付属させ，経験豊富な有資格者による実際の評価場面を示しました．同時に，評価の解釈に療法士間の違いが生じやすい代償運動や諸注意を評価のポイントとして可能な限り明示して，評価技術の担保はもちろん評価結果の捉え方や解釈が一定のレベルとなるように執筆し，これまでに多くの読者に支持していただいております．

あらためて読者の皆様にお礼申し上げるとともに，今後も本シリーズが理学療法および作業療法評価の標準化や定型化を図るための一助として，理学療法士および作業療法士を目指す学生の実践的学習ツールとして，測定技術の向上のために活用されることをおおいに期待します．

最後になりますが，本シリーズ制作に多大なご理解とご協力をいただいた三輪書店の青山智氏ならびに濱田亮宏氏に感謝申し上げます．

2014年12月

北海道千歳リハビリテーション学院　伊藤俊一

*出版者注：DVDは新装版（2024年3月1日発行）よりWeb動画に変更となりました．

序　文

本書は，片麻痺機能検査と協調性検査の2部構成で編集されています．片麻痺機能検査は，さまざまな検査法が報告されていますが，1970年にBrunnstromらが定義した，片麻痺回復ステージに基づいたブルンストローム片麻痺機能検査がゴールデンスタンダードとなっています．しかし，ブルンストローム片麻痺機能検査は，各検査項目の可否基準が曖昧であるとされています．したがって，検査の可否判定だけではなく，その動きを注意深く観察し，他の基本動作と結び付けることで大きな意義がある検査法です．本書では，原著にしたがってよりわかりやすく実施・判定ができるように解説しました．同様に「協調性検査」も各検査手順は単純ですが，どのような協調性障害をみるのか，どの関節に注目するかなど，ゴールデンスタンダードとされる検査法がない中で動作分析や他の検査を参考に実施する難しさがあります．

どちらの検査にも共通する検査結果と基本動作と結び付きを考えるためには，各検査で出現する「異常動作のイメージ」の理解や体験が不可欠となります．養成校の授業においても，検査方法や解釈の仕方を現場の教員がさまざまな工夫を用いて学生に伝えますが，学生たちは「異常動作のイメージ」が浮かばないため，臨床実習やその後の臨床において苦労をするのを見かけます．

本書では，シリーズで踏襲している検査方法の解説動画に加え，同じ異常動作でもさまざまなパターンがあることを理解できるよう，複数名の症例動画を収録しました．これら症例動画をおおいに活用いただき，検査結果の可否判定だけではなく，検査で示される異常動作から患者の基本動作を推察するなど，異常動作のイメージの構築から動作能力の評価につながるように，本書を活用していただければ幸いです．

2014年12月

北海道千歳リハビリテーション学院　久保田健太

Contents

第 1 章　片麻痺機能検査

第 2 章　協調性検査

付　録

本書の使い方

◎動画をご覧ください◎

片麻痺機能検査 1

ブルンストローム片麻痺機能検査

上肢 stage Ⅲ

Ⅰ 意　義

上肢 stage Ⅲは，随意的な関節運動（屈筋共同運動，伸筋共同運動）が可能となる段階かを確認する．

Ⅱ 検査肢位

座位．

Ⅲ 検査方法

関節可動域や痛みの確認を事前に実施しておく．

第1章 片麻痺機能検査

片麻痺機能検査とは

1 中枢性麻痺

中枢性麻痺（central paralysis）とは，大脳皮質から内包，脳幹，脊髄を経て脊髄前角細胞に至る上位運動ニューロン障害によるものであり，脊髄前角細胞から末梢部で筋に至る下位運動ニューロン障害による末梢性麻痺（peripheral paralysis）とは出現する運動障害や回復過程に違いがある．

中枢性麻痺は，前述した上位運動ニューロン障害によるため，運動自体の企画やプログラミングが困難となる．その結果，運動の随意性が低下し，原始的な脊髄レベルの運動パターンが出現する．また，通常は抑制されている反射・反応の過剰な出現（陽性徴候）や逆に出現するべき反射・反応の消失（陰性徴候）も起こり，中枢性麻痺から起因する運動をより複雑にしている（**表 1**）．

そのため，回復過程においても中枢性麻痺は量的な回復を示す末梢性麻痺とは違い質的な変化を示す．つまり，末梢性麻痺は筋力が徒手筋力検査でいう 0→5 へと量的な回復過程を示すのに対し，中枢性麻痺は発症に続く弛緩性麻痺の段階からステレオタイプではあるが随意運動が可能な段階，ほぼ自由に随意的に運動を制御できる段階まで，さまざまな回復過程を示す．その回復過程の中で，陰性徴候や陽性徴候が改善し分離運動が促通され，関節運動の多様性と効率性が獲得されてくる（**図 1**）．中枢性麻痺の評価においては，これら質的な回復変化を捉えることが重要であり，脳血管障害をはじめとする中枢性麻痺を検査するうえで基盤となっている．

2 共同運動

共同運動とは，上位運動ニューロンの企画・プログラミング障害により，合目的で協調性のある運動が困難となり，原始的な脊髄レベルの運動が開放される運動である．つまり，意

表 1　陽性徴候・陰性徴候の主な障害

陽性徴候	■筋緊張の亢進 ・腱反射の亢進 ・痙縮・固縮の出現 ■連合反応・共同運動の出現 ■異常姿勢・反応の出現 ■病的反射の出現
陰性徴候	■運動性の欠如・低下 ・麻痺・筋緊張の低下 ・筋の伸展性 ■感覚消失・低下 ■姿勢反射・平衡反応の消失・低下

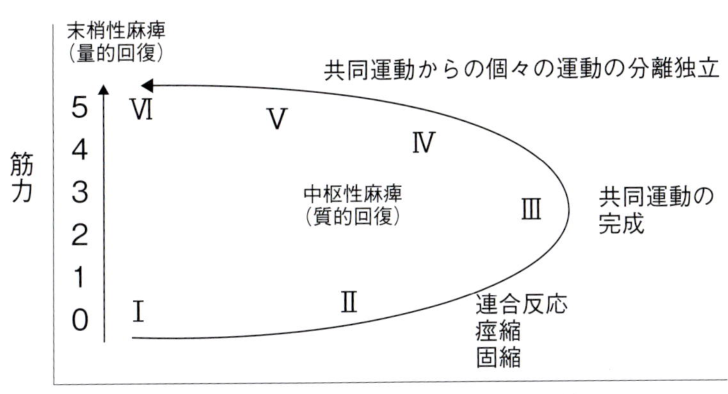

図1　中枢性麻痺と末梢性麻痺の回復過程

表2　上肢下肢の共同運動（文献2）より一部改変引用）

上肢		
	屈筋共同運動	伸筋共同運動
肩甲帯	後退，挙上	前方突出
肩関節	外転，外旋	内転，内旋
肘関節	屈曲	伸展
前腕	回外	回内

下肢		
	屈筋共同運動	伸筋共同運動
股関節	屈曲，外転，外旋	伸展，内転，内旋
膝関節	屈曲	伸展
足関節	背屈，内反	底屈，内反
足指	背屈	※底屈

※母趾は伸展することもある

図的に一つの部位のみを運動させようとしても，伸筋群間全体の運動，もしくは屈筋群間全体の運動として表出してしまい，分離不十分で異常な運動を示す．また，共同運動は脊髄レベルで統合された特異的な運動パターンを示す．共同運動は，伸筋共同運動と屈筋共同運動の2種類（**表2**）があり，中枢性麻痺の質的回復段階にみられる代表的な特徴的運動である．

3 連合反応

連合反応とは，身体の一部で随意的に強力な運動を行うと麻痺側肢に不随意な運動・筋収縮が起こる自動的な反応であり，共同運動に沿った運動，もしくは筋収縮が反応として観察される．一般に弛緩性麻痺の段階よりは痙縮が存在している時が出現しやすいとされている．また連合反応は，上肢や下肢内転・外転においては，非麻痺側の運動と左右対称的な反応が出現する．しかし，下肢の屈曲・伸展運動においては非麻痺側下肢の運動により麻痺側下肢に逆の運動が反応として出現する．特に下肢の連合反応の中でも内転・外転における左右対称的な連合反応を Raimiste の反応と呼んでいる．連合反応の分類を**表3**に示す．

表3 連合反応の分類

	対側性連合反応	同側性連合反応
上肢	非麻痺側肢の屈曲（伸展）→麻痺側肢の屈曲（伸展）	・上肢の屈曲（伸展）→下肢の屈曲（伸展） ・下肢の伸展（屈曲）→上肢の屈曲（伸展）
下肢	1．対称性（Raimiste の反応） ・非麻痺側肢の外転（内転）→麻痺側肢の外転（内転） ・非麻痺側肢の外旋（内旋）→麻痺側肢の外旋（内旋） 2．相反性（屈伸） ・非麻痺側肢の屈曲（伸展）→麻痺側肢の伸展（屈曲）	

4 ブルンストローム片麻痺機能検査

今まで片麻痺機能の検査として，さまざまな検査が報告されているが，Brunnstrom[1)]が定義した，片麻痺回復ステージ（Brunnstrom recovery stage）に基づいたブルンストローム片麻痺機能検査（Brunnstrom motor function test）が，比較的確立されたテストとして使用されている．Brunnstrom らの片麻痺回復ステージとは，片麻痺の回復段階を6段階に定めたものである．

stage Ⅰ：発症に続く弛緩状態で，いかなる運動も行うことができない．

stage Ⅱ：回復し始めるにつれて，四肢の共同運動または共同運動の要素のいくつかが，連合反応として現れるか，最小の随意運動の反応として現れる．この段階では痙縮が出現し始める．

stage Ⅲ：共同運動が随意的に行える．しかし，すべての共同運動の要素が可動範囲すべてにわたって行えるとは必ずしもいえない．痙縮はさらに増大し重度となる．

stage Ⅳ：共同運動から離脱したいくつかの運動の組み合わせができるようになってくる．痙縮は徐々に減少しはじめる．

stage Ⅴ：運動時の共同運動の優位性が徐々に失われはじめ，より難しい運動の組み合わせが可能となる．

stage Ⅵ：痙縮の消失により個々の関節運動が可能となり，協調性が正常に近づいていく．

5 ブルンストローム片麻痺機能検査の注意点

・口頭による指示に対する理解が必要となるので，指示がわかるかどうかを事前に確認し，検査時にはオリエンテーションを実施する．
・検査肢位は，背臥位・座位・立位とあるため，転倒リスクに十分配慮する．
・検査を行う前に関節可動域を事前に測定し，痛みなども確認しておく（**付録参照**）．

・検査は stage Ⅲの判定から開始し，可能であれば stage Ⅳへ，不可能であれば stage Ⅱへ移行する．
・検査の中には血圧を変動させる項目や肢位があるため，急性期のベッドサイドにて行う際は十分注意する．

【文　献】

1）Brunnstrom S : Movement therapy in hemiplegia : A neurophysiological approach. Harper & Row, New York, 1970
2）吉元洋一：基本技術⑮片麻痺機能検査．細田多穂（監），星　文彦，他（編）：理学療法評価学テキスト．南江堂，2010，pp217-228

上肢 stage Ⅲ

Ⅰ 意義

上肢 stage Ⅲは，随意的な関節運動（屈筋共同運動，伸筋共同運動）が可能となる段階かを確認する．

Ⅱ 検査肢位

座位．

Ⅲ 検査方法

関節可動域や痛みの確認を事前に実施しておく．

【①屈筋共同運動の検査】

1 検者は，デモンストレーションとして耳の後ろをかくような屈筋共同運動の動作を行い，同様の動作を被検者に非麻痺側で実施するよう説明する．

2 非麻痺側で実施終了後，同様の動作を麻痺側にて実施させ，動きを観察する．

【②伸筋共同運動の検査】

1 検者は，デモンストレーションとして大腿にのせた手を下前方内側方向へ突き出すような伸筋共同運動の動作を行い，同様の動作を被検者に非麻痺側で実施するよう説明する．

2 非麻痺側で実施終了後，同様の動作を麻痺側にて実施させ，動きを観察する．

Ⅳ 判定基準

1 屈筋・伸筋共同運動の両方，もしくはどちらかで随意的に関節運動が起これば可とし，上肢 stage Ⅳへ進む（14 ページ）．

2 屈筋・伸筋共同運動のテストにて，どちらも関節運動が起こらなければ不可とし，上肢 stage Ⅱへ進む（11 ページ）．

Ⅴ 注意点

1 大小に関係なく，関節運動が起こった時点で可と判定する．

2 可，不可のみならず，関節運動の大きさの目安として運動範囲を 4 分割し，1/4 や 3/4 と運動の大きさも記載する．

3 頭部の回旋や屈曲，伸展による対称性緊張性頸反射や非対称性緊張性頸反射により連合反応が強く出現し，関節運動が起こることがあるので注意する．

4 他の部位に力をいれると連合反応を誘発しやすいので，力を抜くことを指示する．

屈筋共同運動の検査（座位）

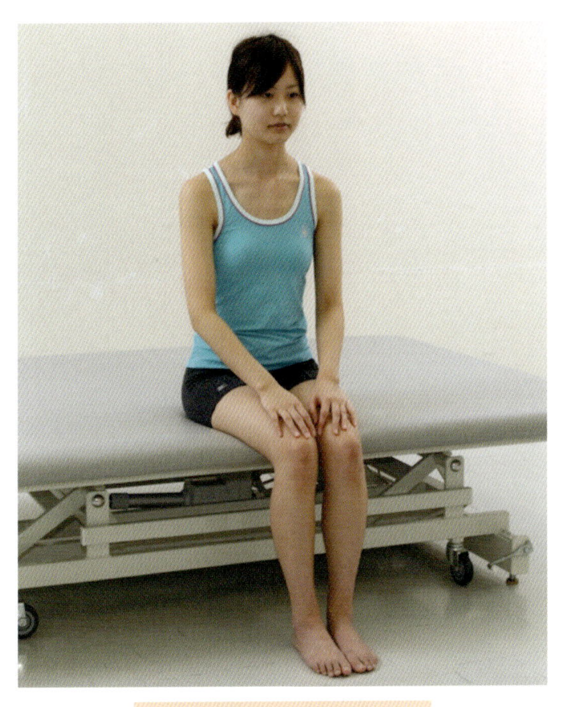

検査場面①（開始肢位）

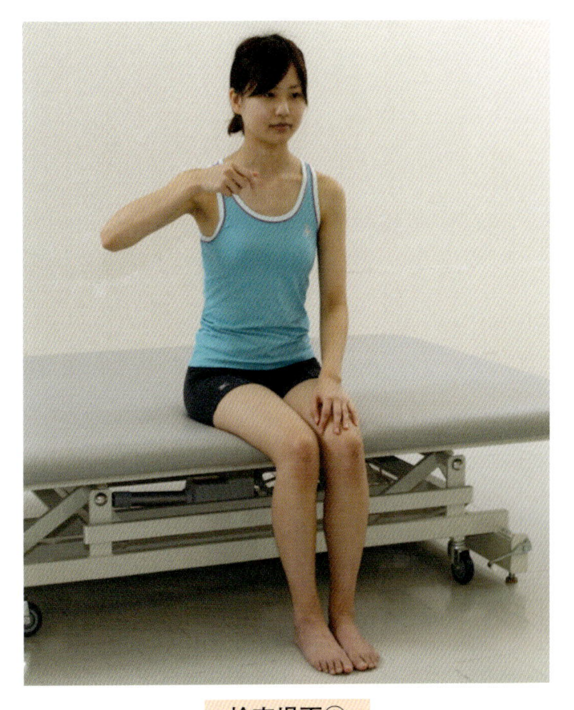

検査場面②

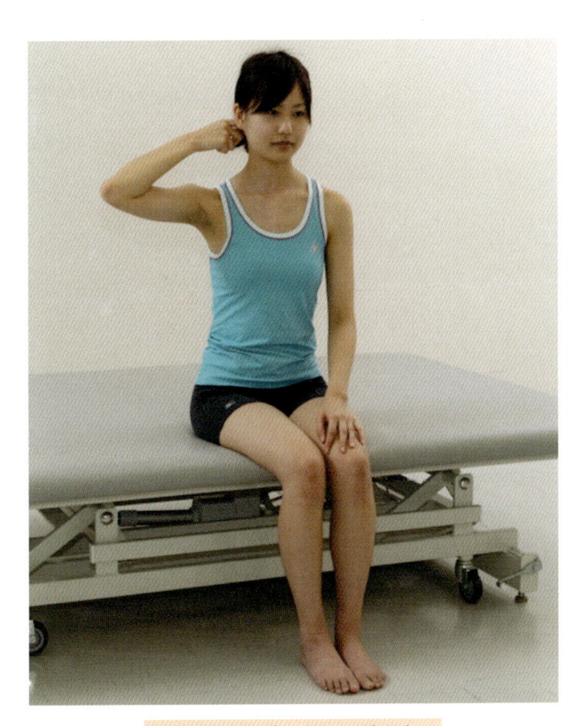

検査場面③（終了肢位）

伸筋共同運動の検査（座位）

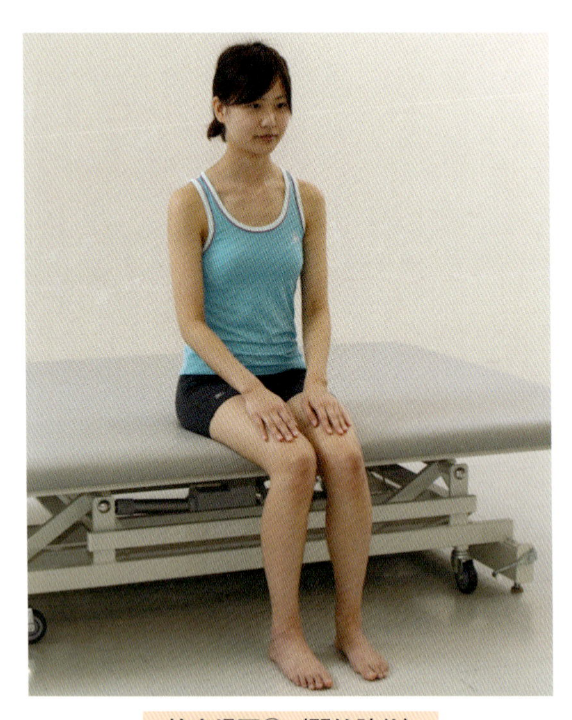

検査場面①（開始肢位）

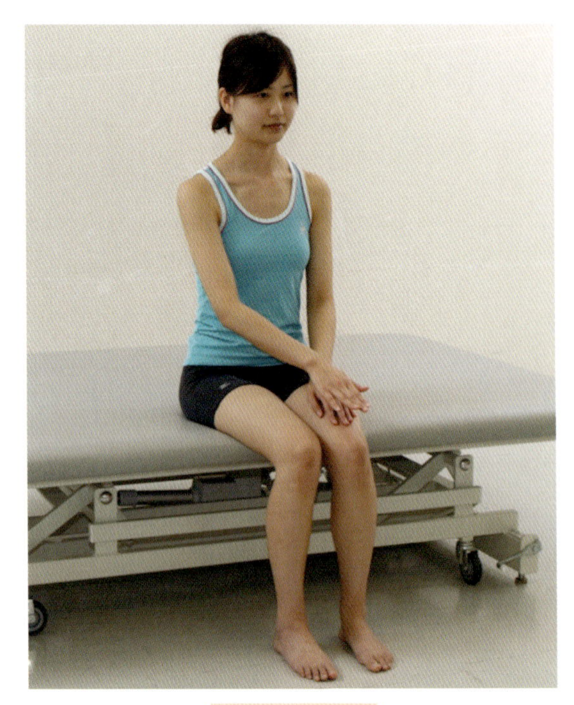

検査場面②

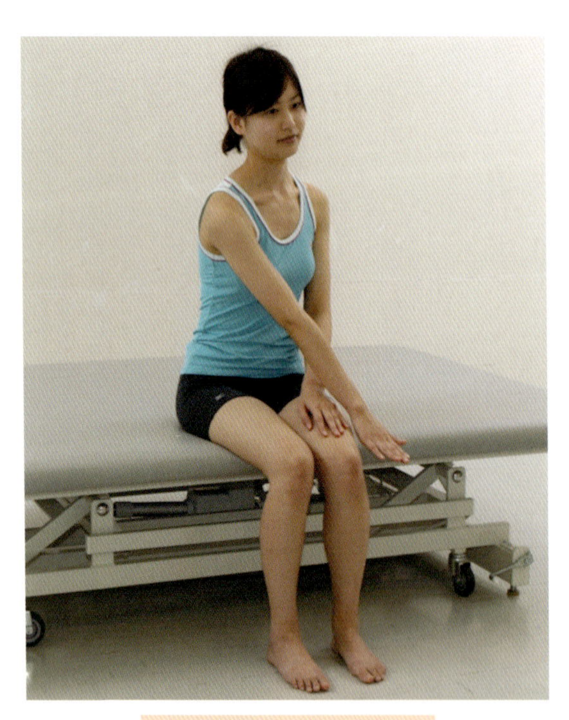

検査場面③（終了肢位）

症例で認められる動作の一例①（屈筋共同運動の検査）

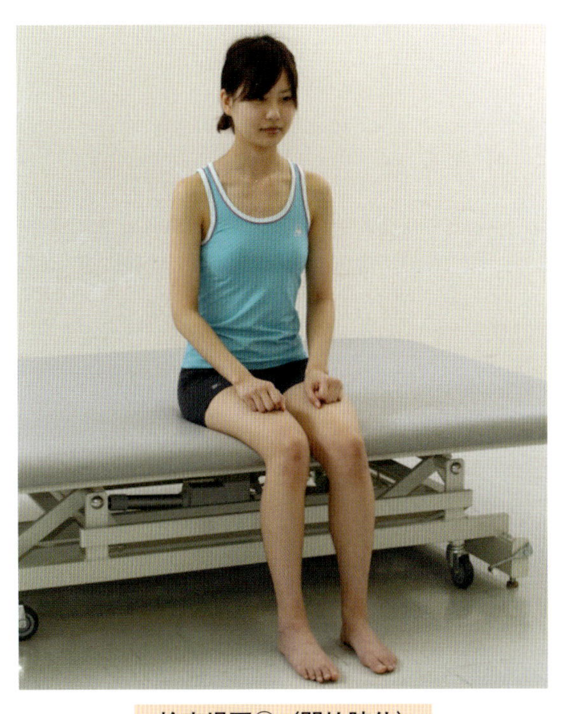

検査場面①（開始肢位）

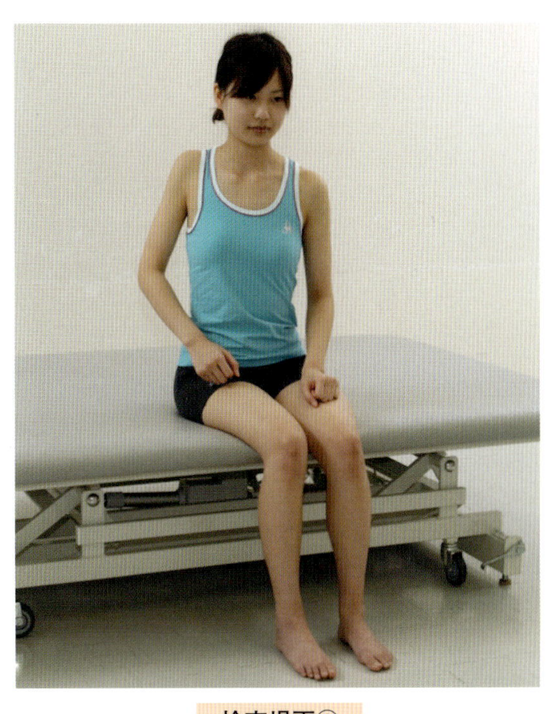

検査場面②

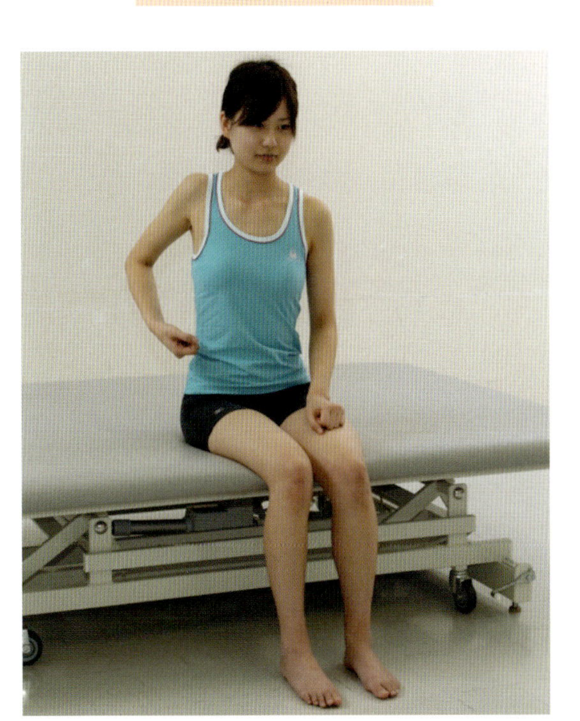

検査場面③（終了肢位）

ポイント

- 可，不可のみならず運動範囲を4分割し，1/4や3/4と運動の大きさも記載する．
- 随意的に関節運動が起きているため可であるが，運動範囲は1/4である．

症例で認められる動作の一例②（伸筋共同運動の検査）

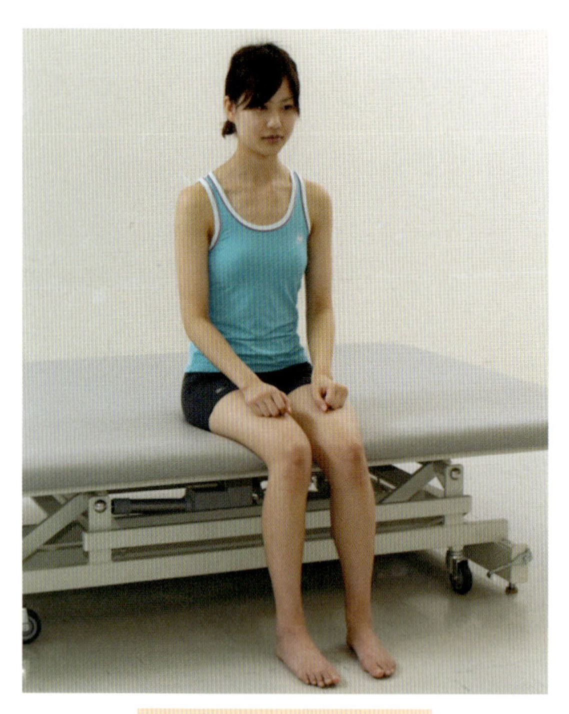

検査場面①（開始肢位）

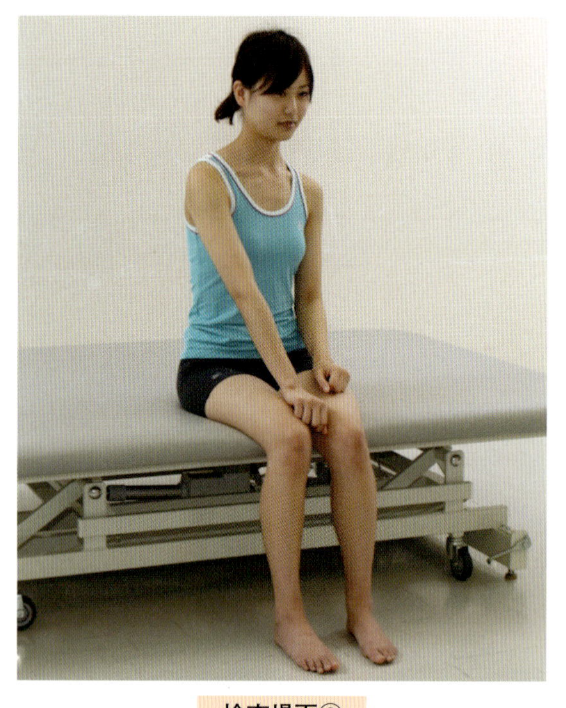

検査場面②

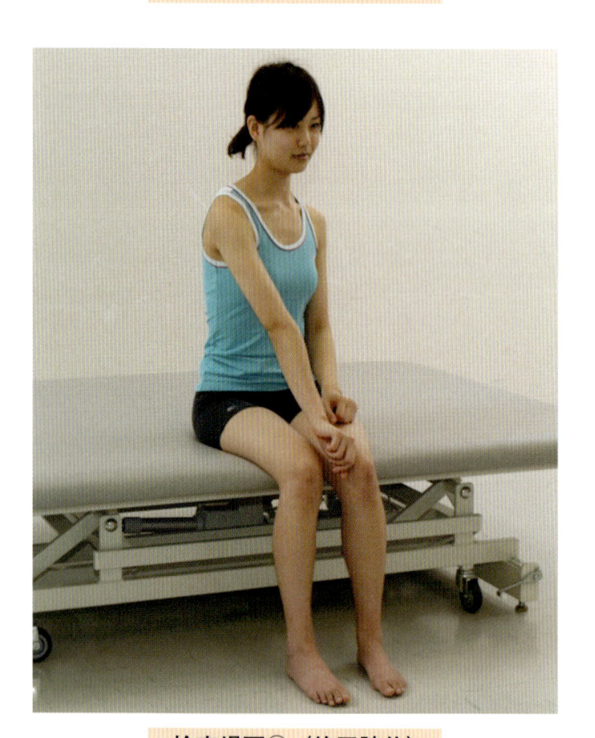

検査場面③（終了肢位）

ポイント

- 可，不可のみならず運動範囲を4分割し，1/4や3/4と運動の大きさも記載する．
- 随意的に関節運動が起きているため可であるが，運動範囲は3/4である．

上肢 stage Ⅱ

Ⅰ 意 義

上肢 stage Ⅱは連合反応を検証し，弛緩性麻痺の状態から痙縮が徐々に出現しはじめている段階かを確認する．

Ⅱ 検査肢位

背臥位．

Ⅲ 検査方法

【①屈筋群への連合反応検査】

1 検者は，被検者に非麻痺側の肘関節を屈曲するよう指示し，その運動に抵抗を加える．
2 麻痺側上肢に屈筋共同運動，もしくはその一部に連合反応が出現していないか確認する．
3 麻痺側の上腕二頭筋も触知し，収縮を確認する．

【②伸筋群への連合反応検査】

1 検者は，被検者に非麻痺側の肘関節を伸展するよう指示し，その運動に抵抗を加える．
2 麻痺側上肢に伸筋共同運動，もしくはその一部に連合反応が出現していないか確認する．
3 麻痺側の大胸筋も触知し，収縮を確認する．

Ⅳ 判定基準

1 検査の両方，またはどちらかで連合反応による自動運動，もしくは筋収縮が認められれば可とし，上肢 stage Ⅱと判定する．
2 検査の両方，またはどちらも連合反応による自動運動，もしくは筋収縮が認められなければ不可とし，上肢 stage Ⅰと判定する．

Ⅴ 注意点

1 非麻痺側の抵抗運動を行わせるため，血圧の変化に注意する．
2 関節運動を伴った連合反応なのか，筋収縮のみの連合反応なのかをコメントとして記載する．
3 頭部の回旋や屈曲，伸展による対称性緊張性頸反射や非対称性緊張性頸反射に留意する．

屈筋群への連合反応検査（背臥位）

検査場面①（開始肢位）

検査場面②

ポイント

・連合反応の観察のみならず，上腕二頭筋の収縮の有無を確認する．

伸筋群への連合反応検査（背臥位）

検査場面①（開始肢位）

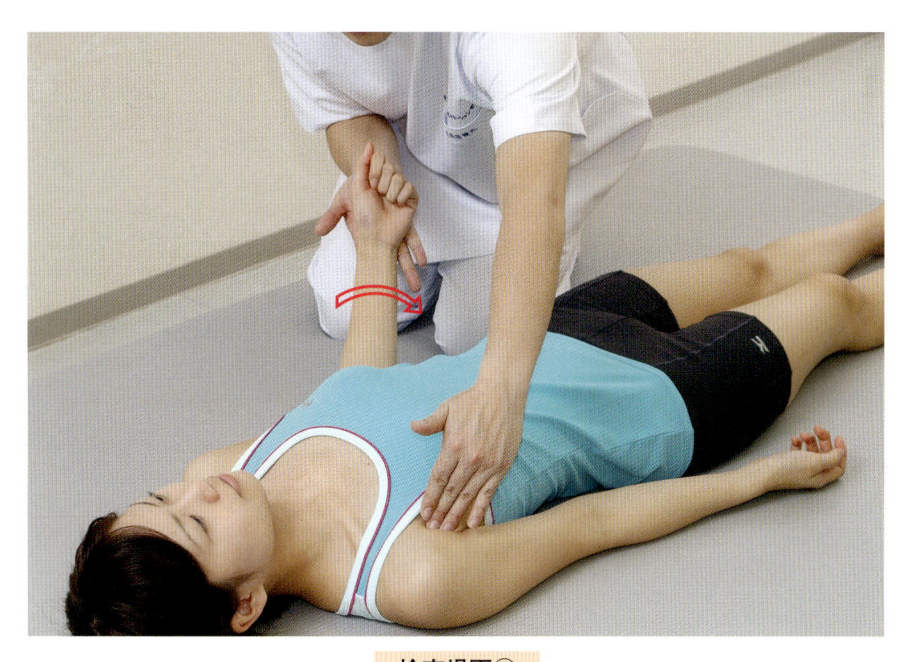

検査場面②

ポイント

・連合反応の観察のみならず，大胸筋の収縮の有無を確認する．

3 上肢 stage Ⅳ

Ⅰ 意　義

上肢 stage Ⅳは，共同運動から一部分離運動が可能となる段階かを確認する．

Ⅱ 検査肢位

座位．

Ⅲ 検査方法

関節可動域や痛みの確認を事前に実施しておく．

【①腰の後ろに手をもっていく動作の検査】

1 検者は，デモンストレーションとして腰の後ろに手をもっていき，手背で腰背部を触る動作を行い，同様の動作を被検者に非麻痺側で実施するよう説明する．

2 非麻痺側で実施終了後，同様の動作を麻痺側にて実施させ，動きを観察する．

【②上肢を 90° 前方挙上する動作の検査】

1 検者は，デモンストレーションとして上肢を 90° 前方挙上する動作を行い，同様の動作を被検者に非麻痺側で実施するよう説明する．

2 非麻痺側で実施終了後，同様の動作を麻痺側にて実施させ，動きを観察する．

【③肘関節 90° 屈曲位での前腕回内・回外する動作の検査】

1 検者は，デモンストレーションとして肘関節 90° 屈曲位で前腕回内・回外する動作を行い，同様の動作を被検者に非麻痺側で実施するよう説明する．

2 非麻痺側で実施終了後，同様の動作を麻痺側にて実施させ，動きを観察する．

Ⅳ 判定基準

1 ①～③のすべての動作，もしくはどれか一つ以上の動作が可能であれば可とし，上肢 stage Ⅴへ進む（21 ページ）．

2 ①～③のすべての動作が不可能であれば，上肢 stage Ⅲと判定する．

Ⅴ 注意点

1 ①の動作の可否判定基準は厳密に定められておらず，他の類似検査では体幹側面まで手をもっていくことが可の条件としているものもある．

2 ②の動作の可否判定基準は厳密には定められておらず，他の類似検査では開始肢位の肘関節は 20° 以上屈曲しないこと，肩関節の水平内転・外転は ±10° とすることが可の条件としているものもある．

3 ③の動作の可否判定基準は厳密には定められておらず，他の類似検査では開始肢位の肘関節屈曲は 90° ±10° とすることが可の条件としているものもある．

4 可，不可のみならず，関節運動の大きさの目安として運動を 4 分割し，1/4 や 3/4 と運動の大きさも記載する．

5 上肢 stage Ⅳの動作が可能な場合，定量的検査として上肢スピードテスト（29 ページ）を行うこともある．

腰の後ろに手をもっていく動作の検査（座位）

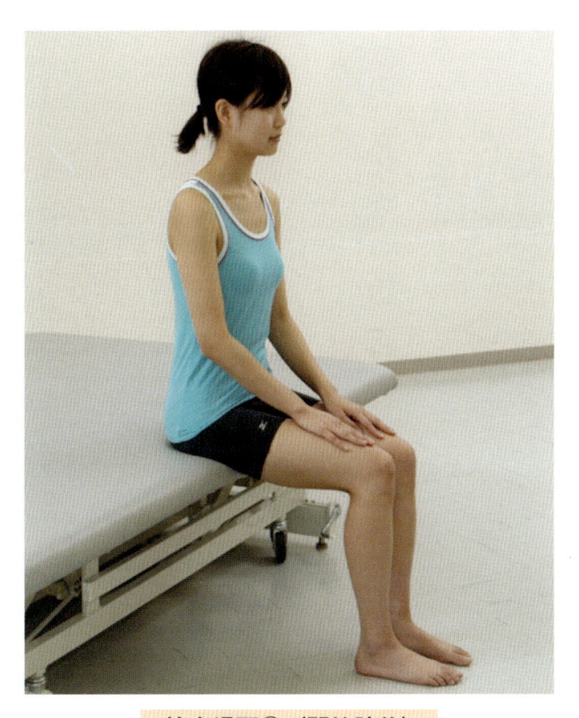

検査場面①（開始肢位）

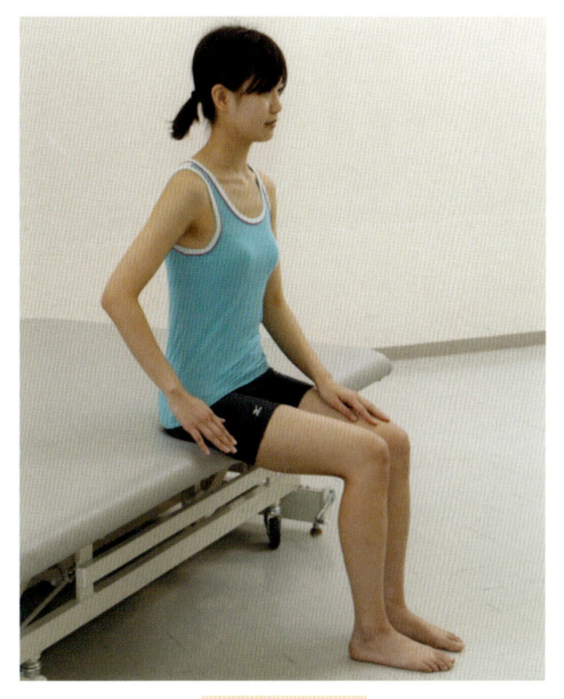

検査場面②

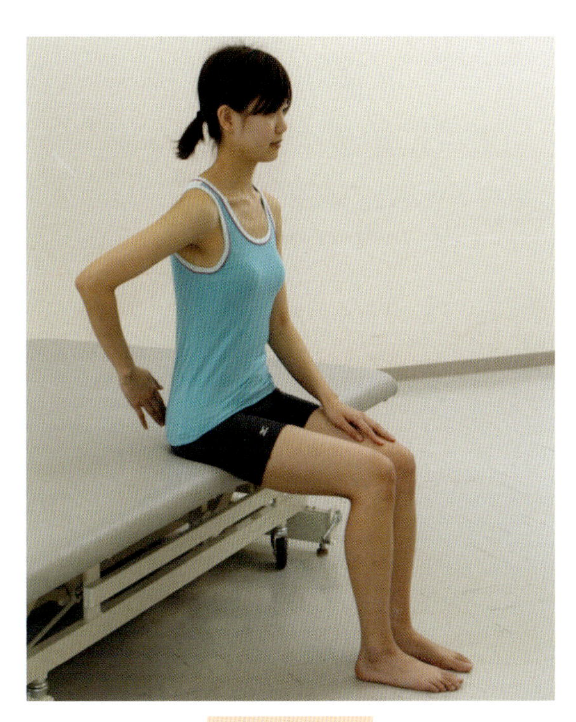

検査場面③

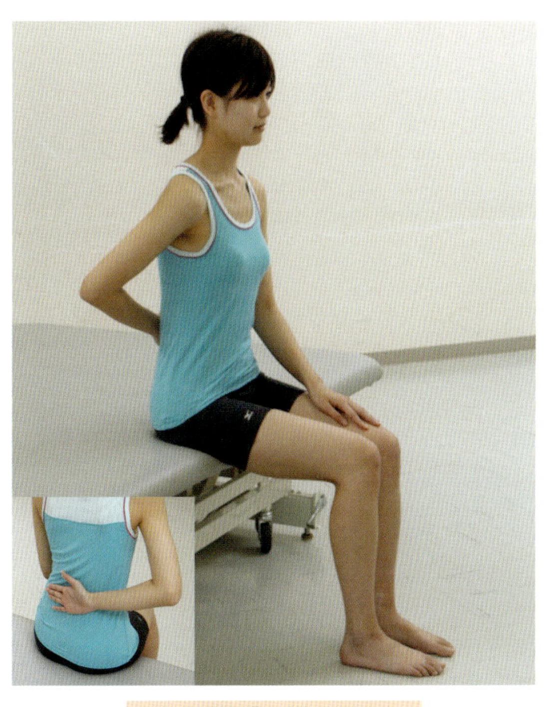

検査場面④（終了肢位）

上肢を 90°前方挙上する動作の検査（座位）

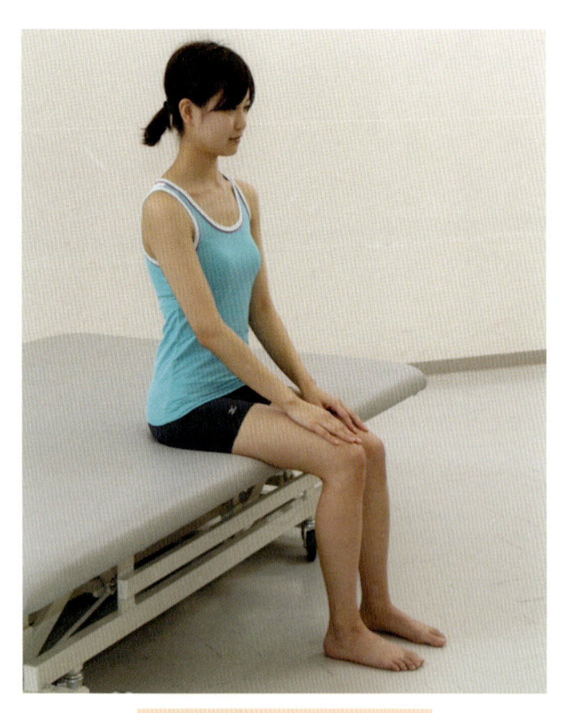

検査場面①（開始肢位）

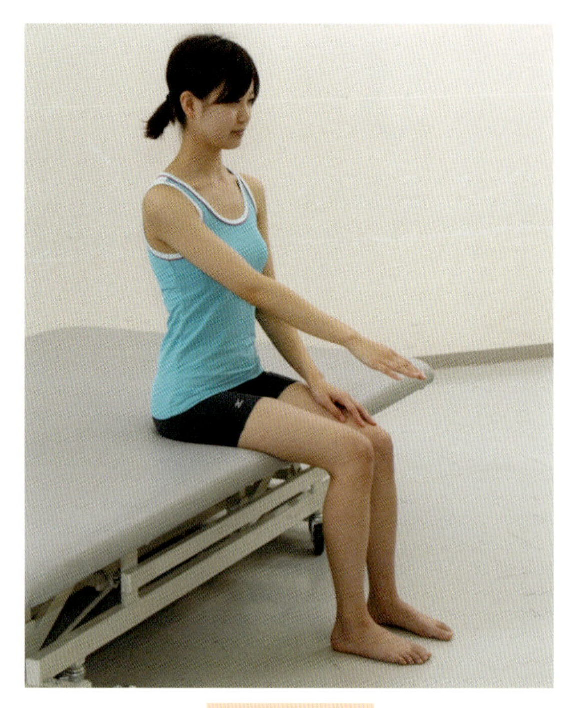

検査場面②

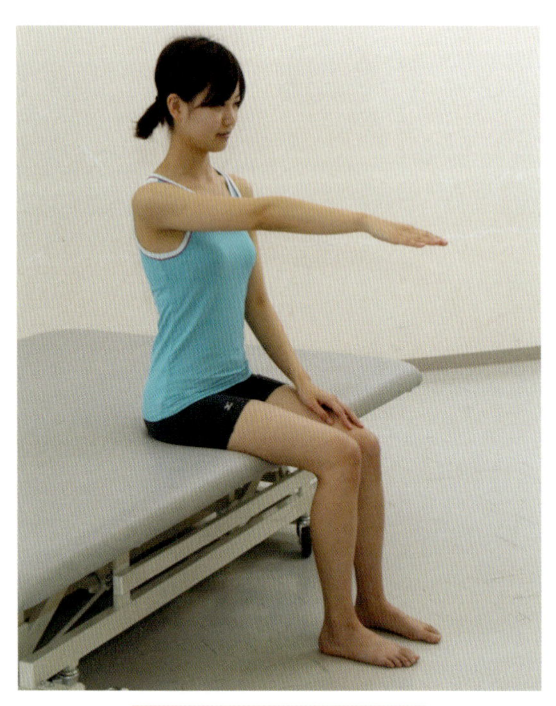

検査場面③（終了肢位）

肘関節 90°屈曲位での前腕回内・回外する動作の検査（座位）

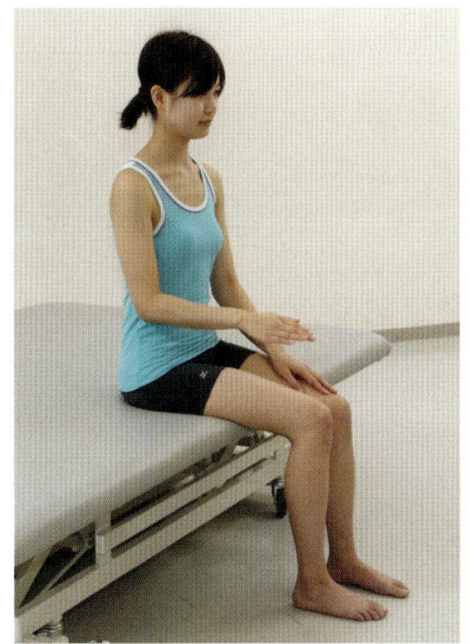

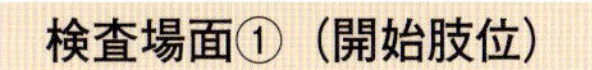

検査場面①（開始肢位）

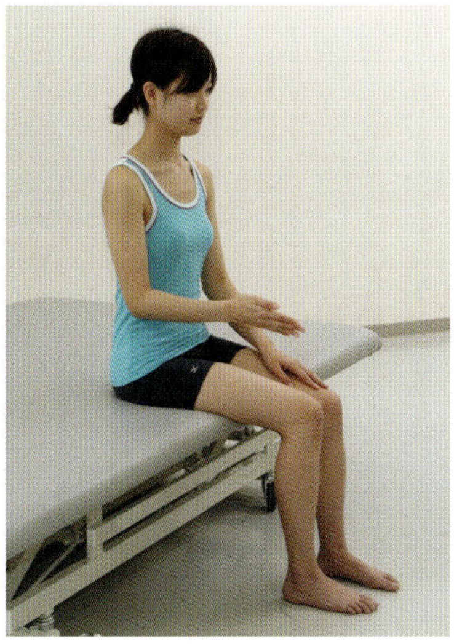

検査場面②

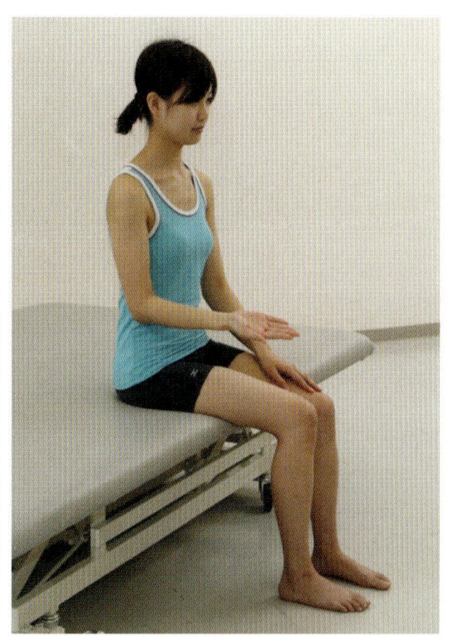

検査場面③

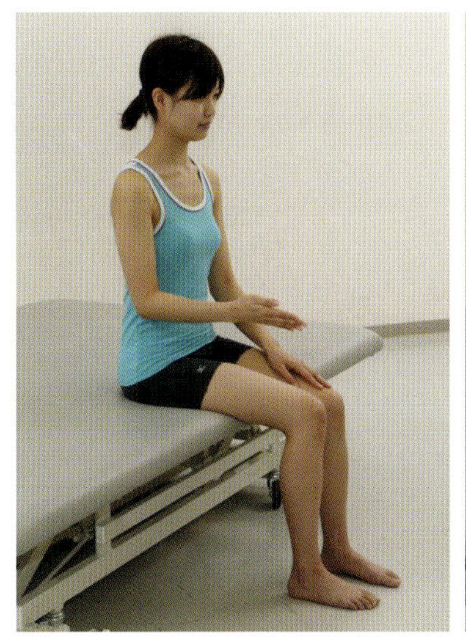

検査場面④

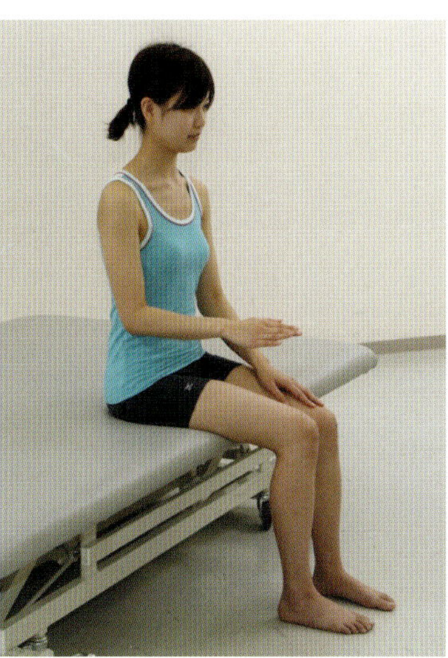

検査場面⑤

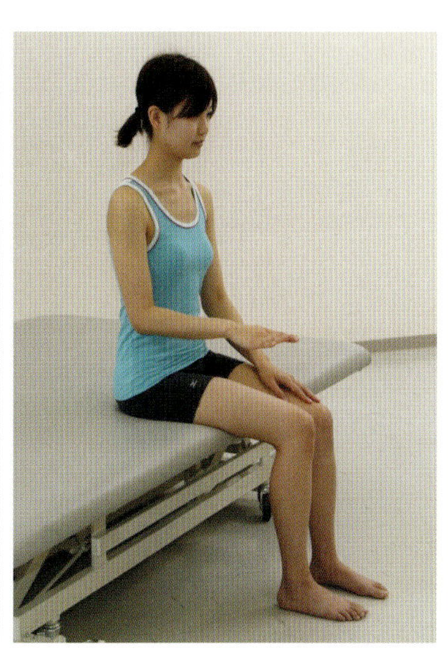

検査場面⑥（終了肢位）

症例で認められる動作の一例①（腰の後ろに手をもっていく動作の検査）

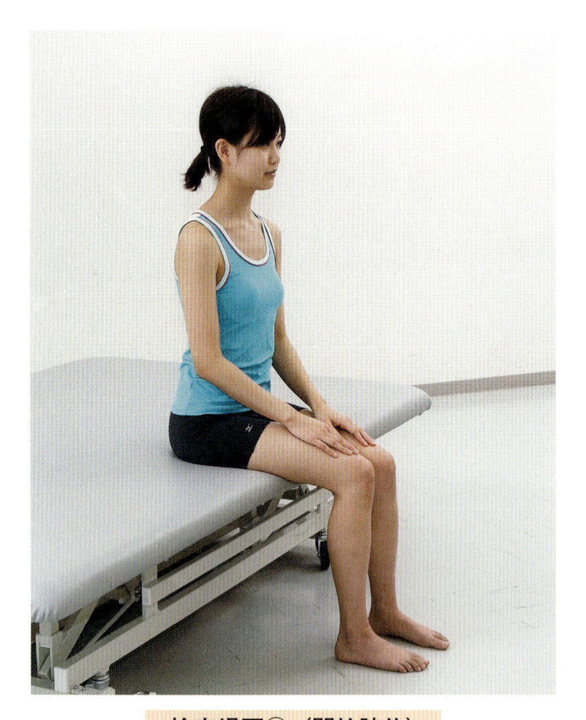

検査場面①（開始肢位）

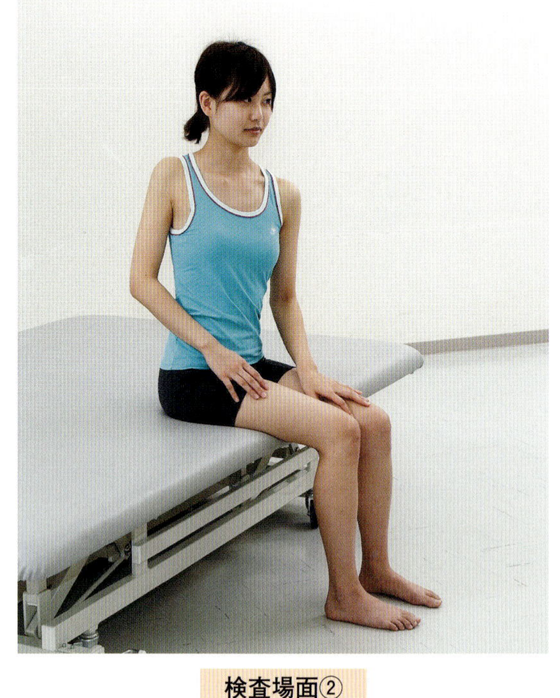

検査場面②

検査場面③（終了肢位）

ポイント

・この場合，肩甲帯の retraction と体幹回旋の代償にて手が後ろにもっていっているようにみえるが，体幹側面まで手が達していないため，判定は不可である．

症例で認められる動作の一例②（上肢を 90°前方挙上する動作の検査）

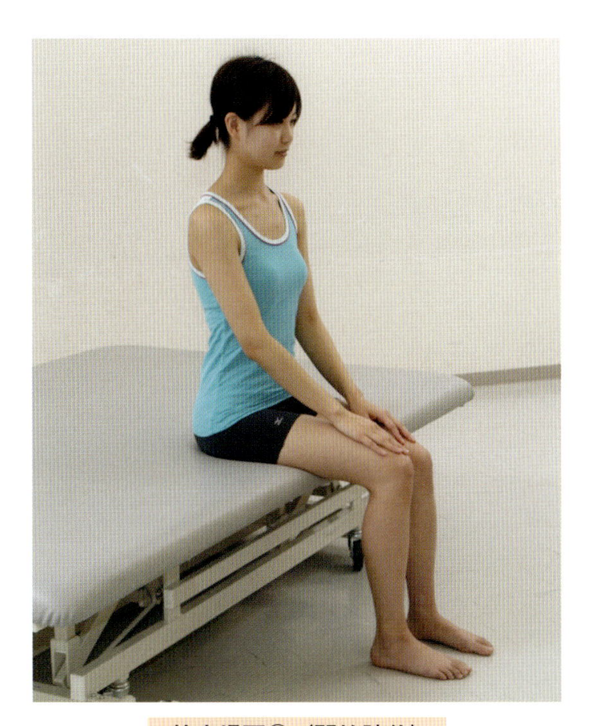

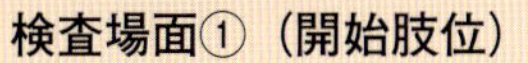

検査場面①（開始肢位）

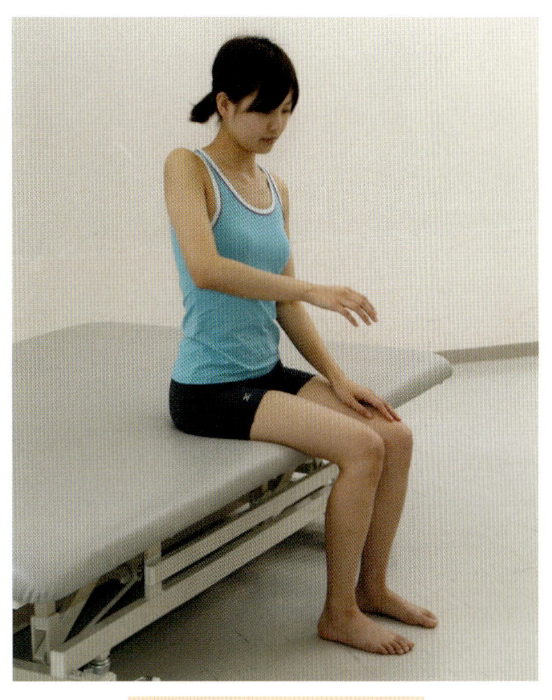

検査場面②（終了肢位）

ポイント

・この場合，上肢を明らかな肘関節屈曲や肩甲帯の挙上が認められ，屈筋共同運動パターンを呈しているために判定は不可である．

症例で認められる動作の一例③（肘関節 90°屈曲位での前腕回内・回外する動作の検査）

検査場面①（開始肢位）

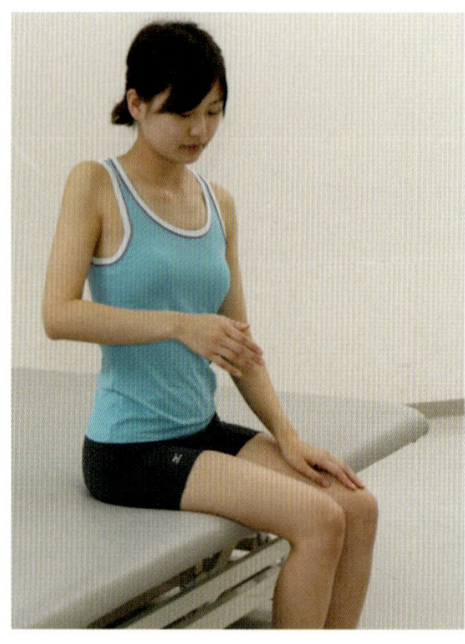
検査場面②

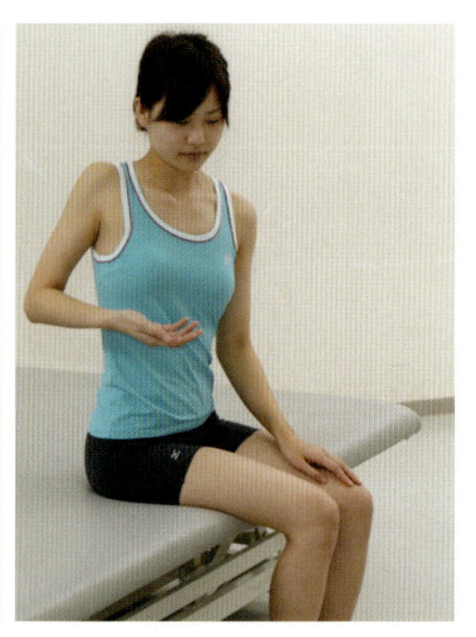
検査場面③

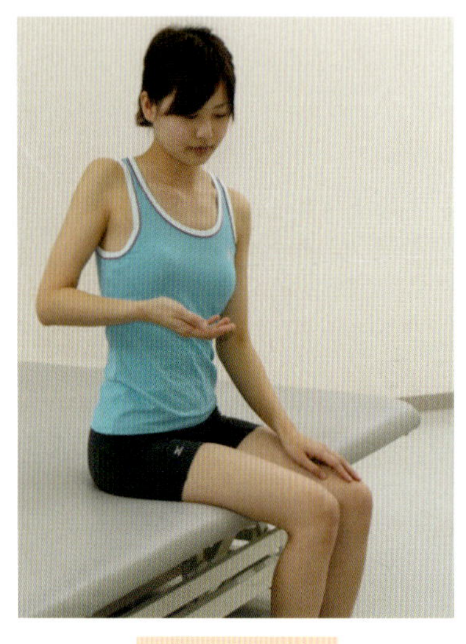
検査場面④

検査場面⑤

検査場面⑥（終了肢位）

ポイント

・この場合，前腕回外動作の判断は難しいが，前腕回内動作時に明らかな肘関節伸展が認められ，伸筋共同運動パターンを呈しているために判定は不可である．

上肢 stage Ⅴ

Ⅰ 意 義

上肢 stage Ⅴは，運動時の共同運動の優位性が徐々に失われはじめ，難しい分離運動の組み合せが可能な段階かを確認する．

Ⅱ 検査肢位

座位．

Ⅲ 検査方法

関節可動域や痛みの確認を事前に実施しておく．

【①肩関節 90°外転位まで上肢を側方挙上する動作の検査】

1 検者は，デモンストレーションとして肩関節 90°外転位まで上肢を側方挙上する動作を行い，同様の動作を被検者に非麻痺側で実施するよう説明する．

2 非麻痺側で実施終了後，同様の動作を麻痺側にて実施させ，動きを観察する．

【②肩関節 180°屈曲位まで上肢を前方挙上する動作の検査】

1 検者は，デモンストレーションとして肩関節 180°屈曲位まで上肢を前方挙上する動作を行い，同様の動作を被検者に非麻痺側で実施するよう説明する．

2 非麻痺側で実施終了後，同様の動作を麻痺側にて実施させ，動きを観察する．

【③肩関節 90°屈曲位，肘関節伸展位での前腕回内・回外する動作の検査】

1 検者は，デモンストレーションとして肩関節 90°屈曲，肘関節伸展位で前腕回内・回外する動作を行い，同様の動作を被検者に非麻痺側で実施するよう説明する．

2 非麻痺側で実施終了後，同様の動作を麻痺側にて実施させ，動きを観察する．

Ⅳ 判定基準

1 ①～③の動作のすべて，もしくはどれか一つ以上の動作が可能であればで可とし，その後，上肢の自由な運動ができれば上肢 stage Ⅵと判定し，できなければ上肢 stage Ⅴと判定する．

2 ①～③の動作がすべて不可能であれば，上肢 stage Ⅳと判定する．

Ⅴ 注意点

1 ①の動作の可否判定基準は厳密に定められておらず，他の類似検査では肩関節屈曲 20°以上，肩関節水平屈曲 20°以上にならないことが可の条件としているものもある．

2 ②の動作の可否判定基準は厳密には定められておらず，他の類似検査では肘関節屈曲 20°以上，肩関節水平伸展が 20°以上にならないことが可の条件としているものもある．

3 ③の動作の可否判定基準は厳密には定められておらず，他の類似検査では肘関節屈曲 20°以上は起こらず，肩関節は 60°以上屈曲させることが可の条件としているものもある．

4 ③の検査は開始肢位が肩関節 90°外転位にて行う方法もある．

5 可，不可のみならず，関節運動の大きさの目安として運動範囲を 4 分割し，1/4 や 3/4 と運動の大きさも記載する．

6 上肢 stage Ⅳの動作が可能な場合，定量的検査として上肢スピードテスト（29 ページ）を行うこともある．

肩関節 90° 外転位まで上肢を側方挙上する動作の検査（座位）

検査場面①（開始肢位）

検査場面②

検査場面③（終了肢位）

肩関節 180°屈曲位まで上肢を前方挙上する動作の検査（座位）

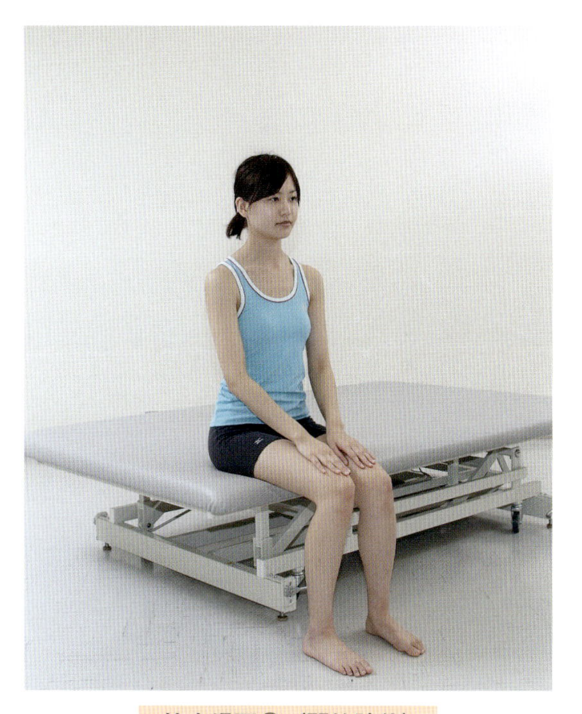

検査場面①（開始肢位）

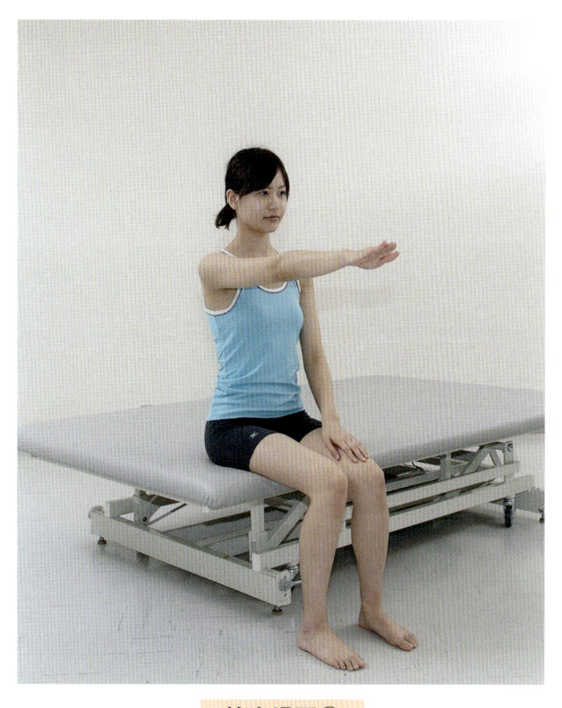

検査場面②

検査場面③（終了肢位）

肩関節 90°屈曲位，肘関節伸展位での前腕回内・回外する動作の検査（座位）

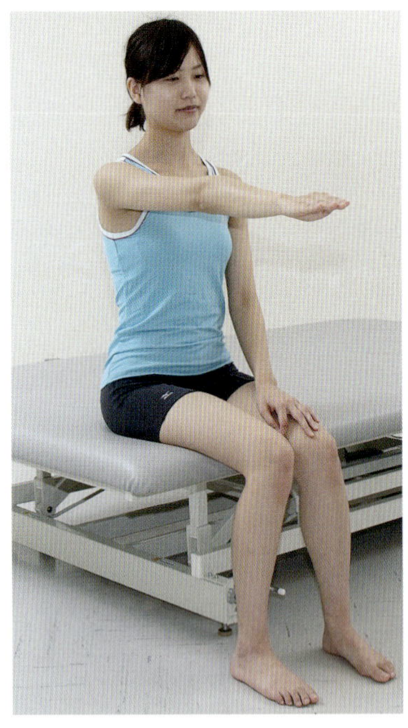

検査場面①（開始肢位）

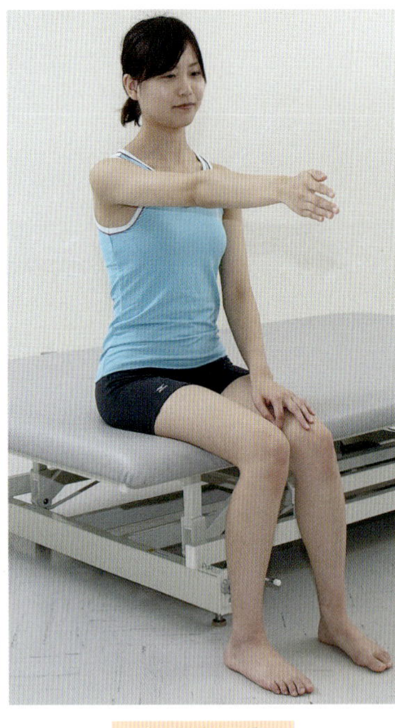

検査場面②

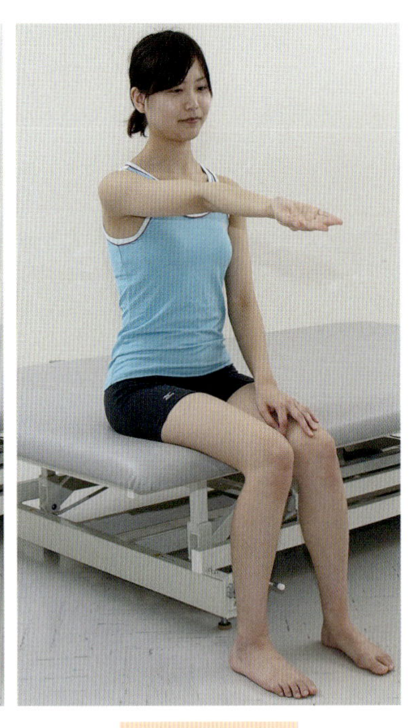

検査場面③

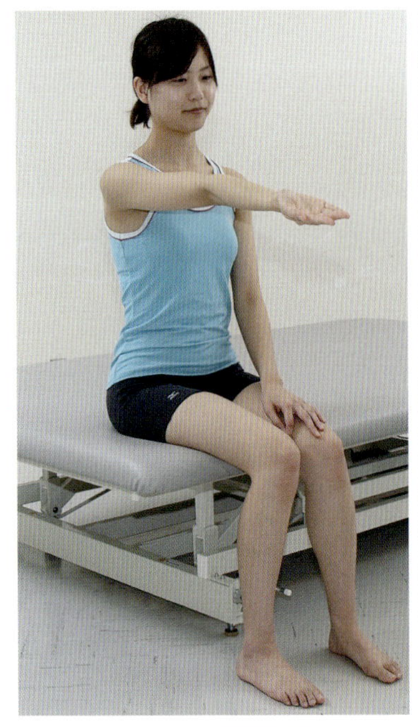

検査場面④

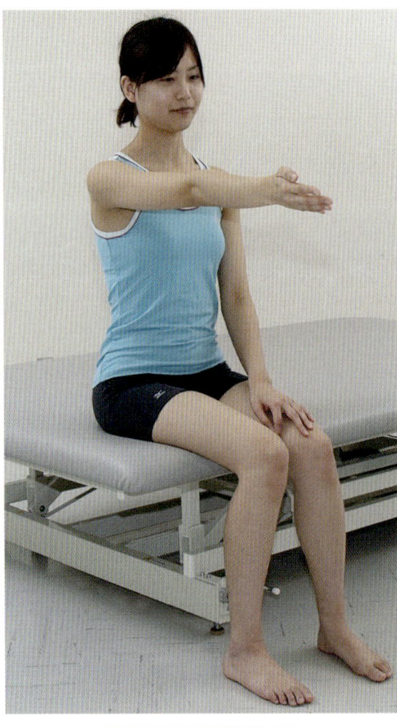

検査場面⑤

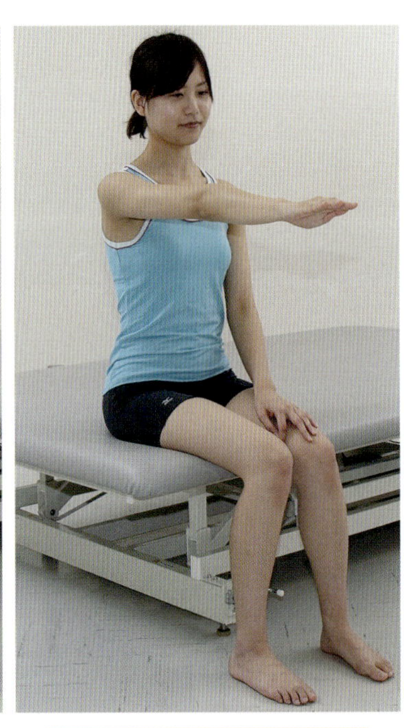

検査場面⑥（終了肢位）

別法：肩関節 90°外転位，肘関節伸展位での前腕回内・回外する動作の検査（座位）

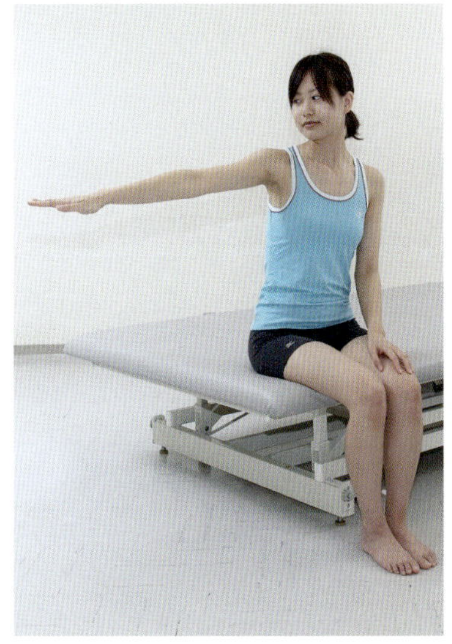

検査場面①（開始肢位）

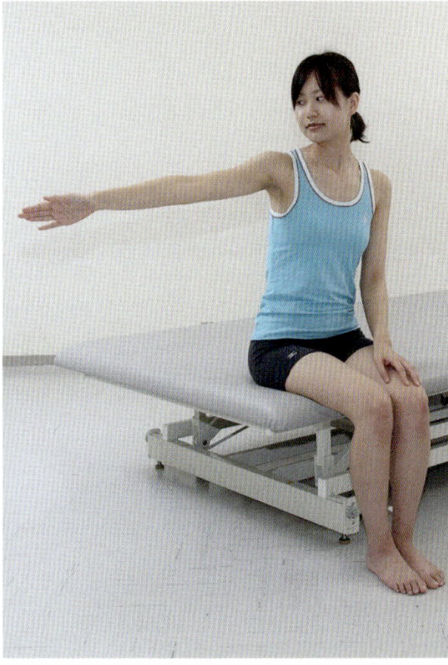

検査場面②

検査場面③

検査場面④

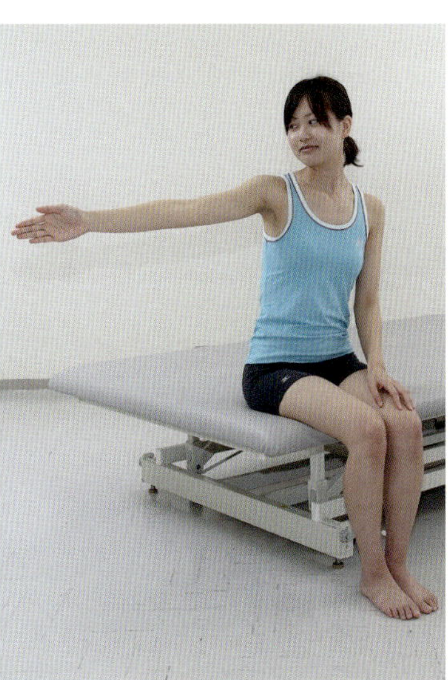

検査場面⑤

検査場面⑥（終了肢位）

ポイント

・この別法は，共同運動の影響が残存している時では，肩関節 90°屈曲での回内・回外よりも難しい動作である場合が多い．

症例で認められる動作の一例①（肩関節90°外転位まで上肢を側方挙上する動作の検査）

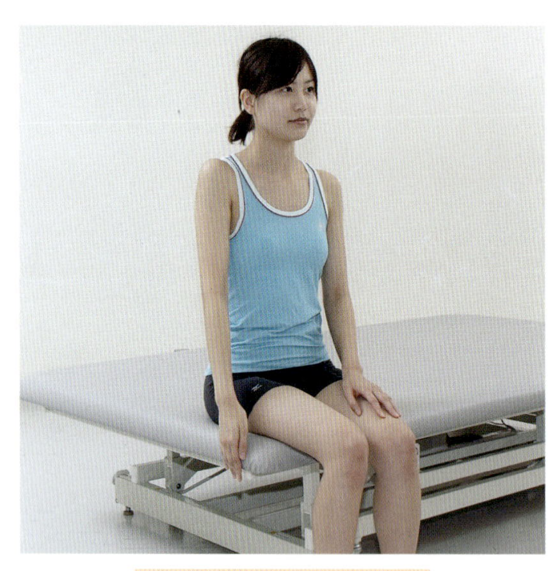

検査場面①（開始肢位）

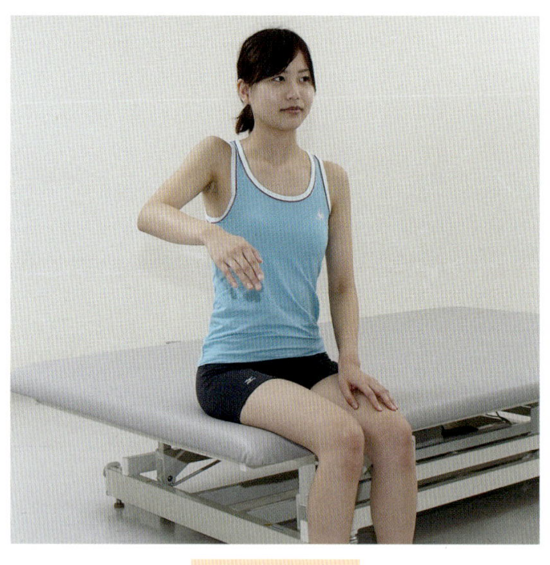

検査場面②

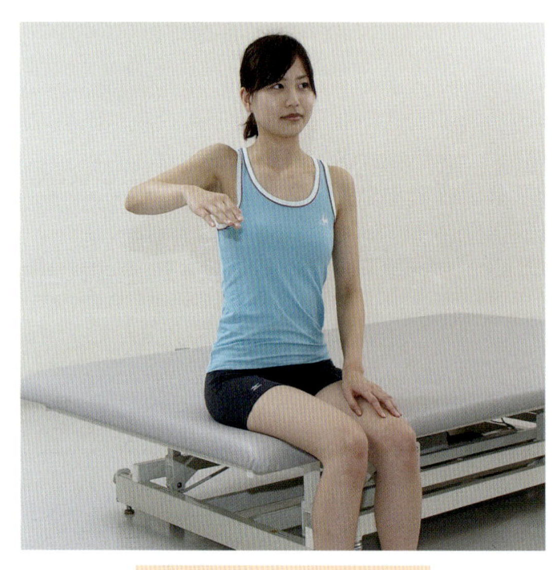

検査場面③（終了肢位）

ポイント

・この場合，明らかな肘関節屈曲動作が認められて分離運動が不十分なため，判定は不可である．

症例で認められる動作の一例②（肩関節 180°屈曲位まで上肢を前方挙上する動作の検査）

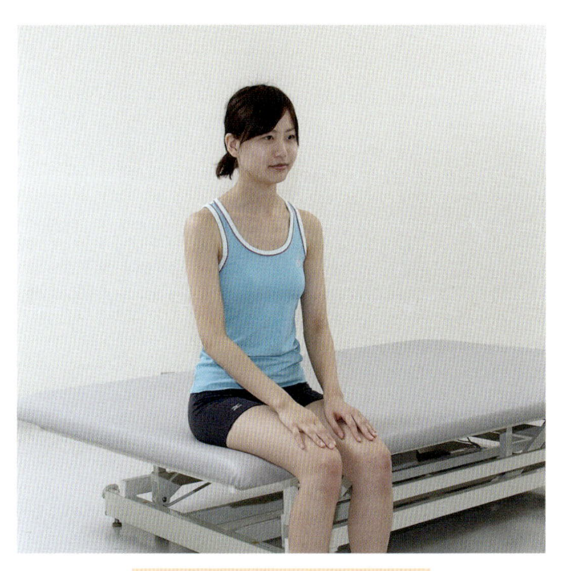

検査場面①（開始肢位）

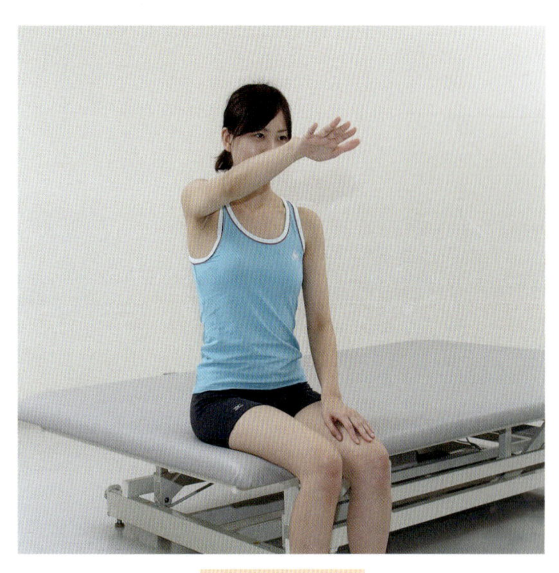

検査場面②

検査場面③

検査場面④（終了肢位）

ポイント

・この場合，肩関節屈曲 90°をすぎたあたりからの明らかな肘関節屈曲動作が認められ，分離運動が不十分なため判定は不可である．

症例で認められる動作の一例③（肩関節 90°屈曲，肘関節伸展位での前腕回内・回外する動作の検査）

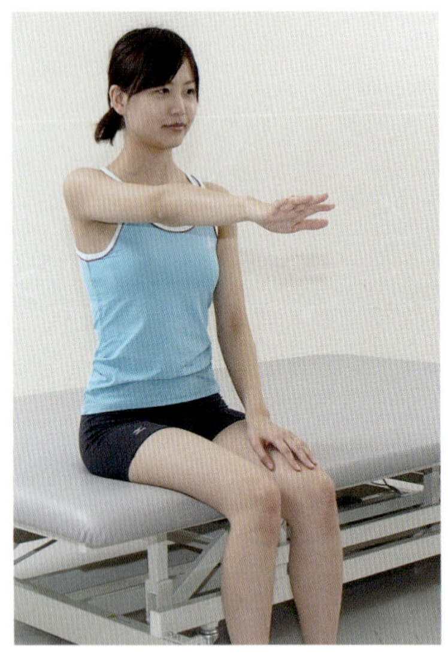

検査場面①（開始肢位）

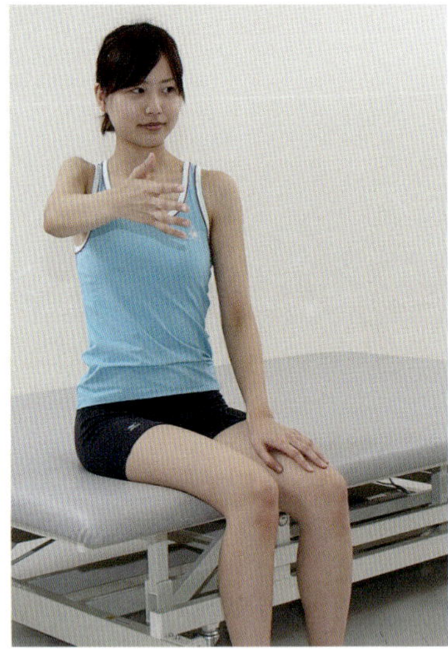

検査場面②

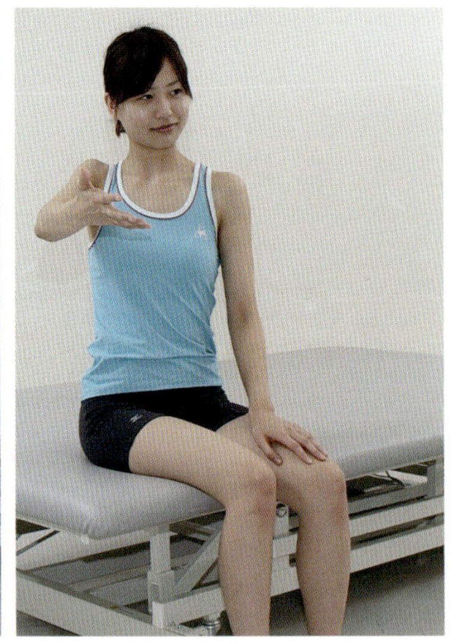

検査場面③

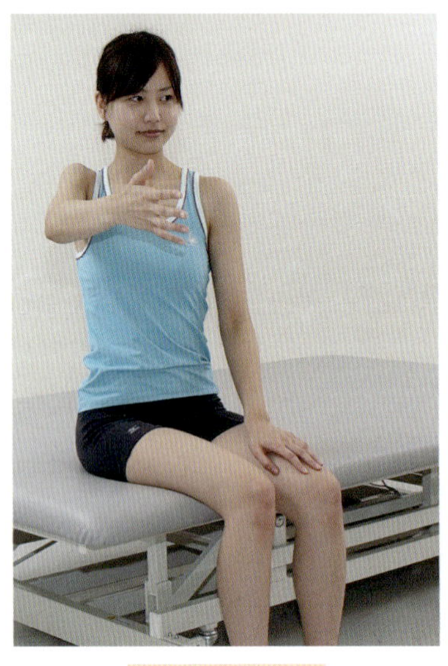

検査場面④

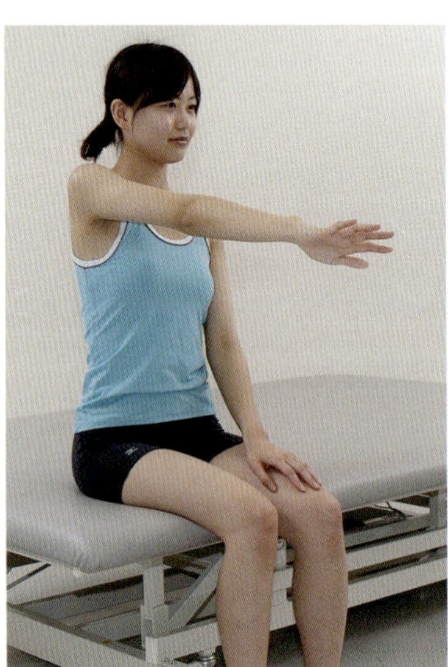

検査場面⑤

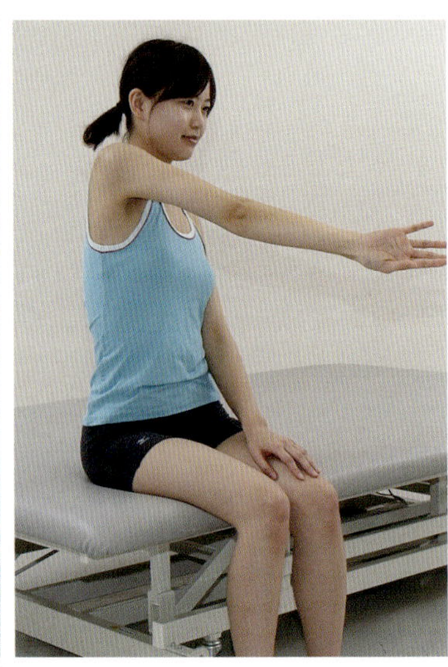

検査場面⑥（終了肢位）

ポイント

・この場合，前腕回外動作時の肘関節屈曲動作などが明らかであり，分離運動が不十分なため判定は不可である．

上肢スピードテスト

Ⅰ 意 義

上肢スピードテストは，上肢 stage Ⅳ～Ⅵの者を対象に屈筋共同運動や伸筋共同運動の切り替え，それに付随する痙縮の強さについて定量化する検査である．

Ⅱ 検査肢位

座位．

Ⅲ 使用機器

ストップウォッチ．

Ⅳ 検査方法

【①屈筋共同運動の上肢スピードテスト】

1 検者は，デモンストレーションとして軽く握った手を大腿から顎までもっていく動作を行い，同様の動作を被検者に非麻痺側で実施するよう説明する．
2 この動作を 5 秒間繰り返し行ってもらい，5 秒間の最大回数を記録する．
3 非麻痺側で実施終了後，同様の検査を麻痺側にて実施させる．

【②伸筋共同運動の上肢スピードテスト】

1 検者は，デモンストレーションとして軽く握った手を大腿のつけ根から対側の膝までもっていく動作を行い，同様の動作を被検者に非麻痺側で実施するよう説明する．
2 この動作を 5 秒間繰り返し行ってもらい，5 秒間での最大回数を記録する．
3 非麻痺側で実施終了後，同様の検査を麻痺側にて実施させる．

Ⅳ 判定基準

1 特に判定基準はないが，左右差の比較，発症からの経過での比較を行い，評価に役立てる．

屈筋共同運動のスピードテスト（座位）

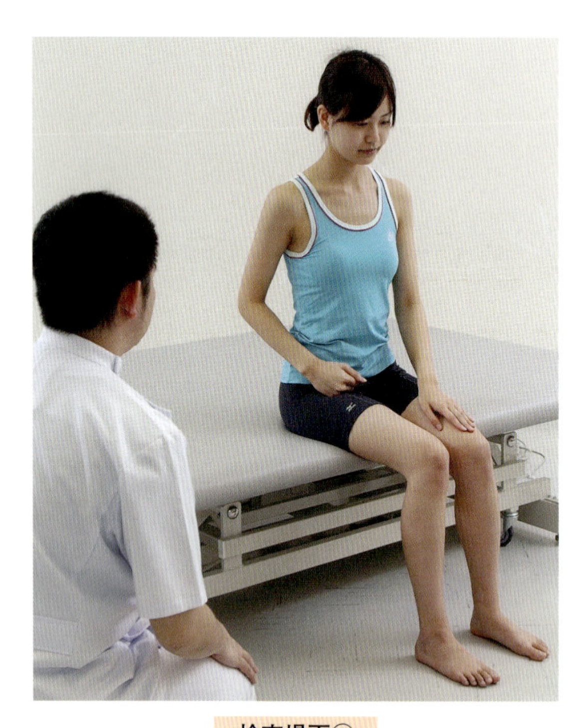

検査場面①

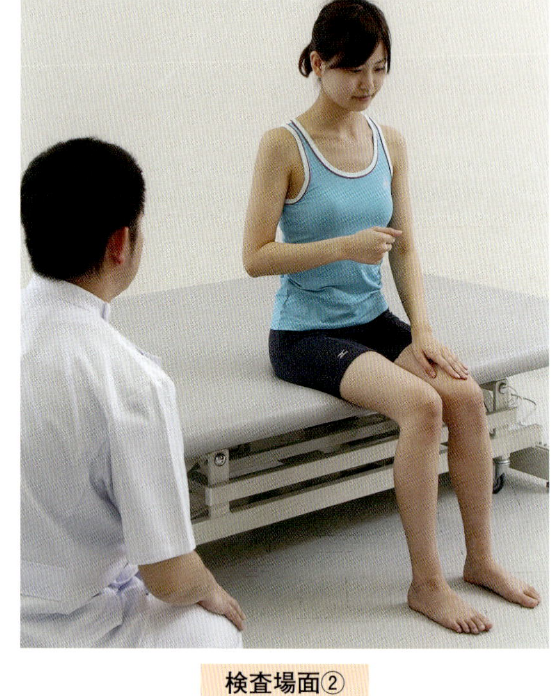

検査場面②

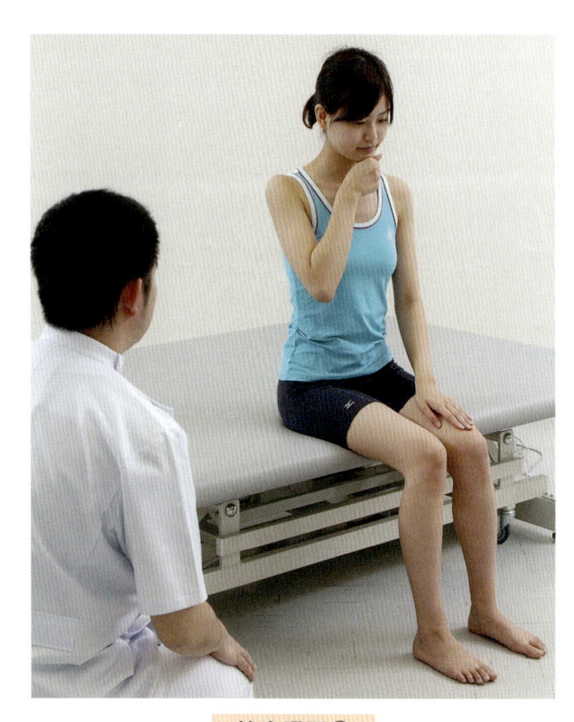

検査場面③

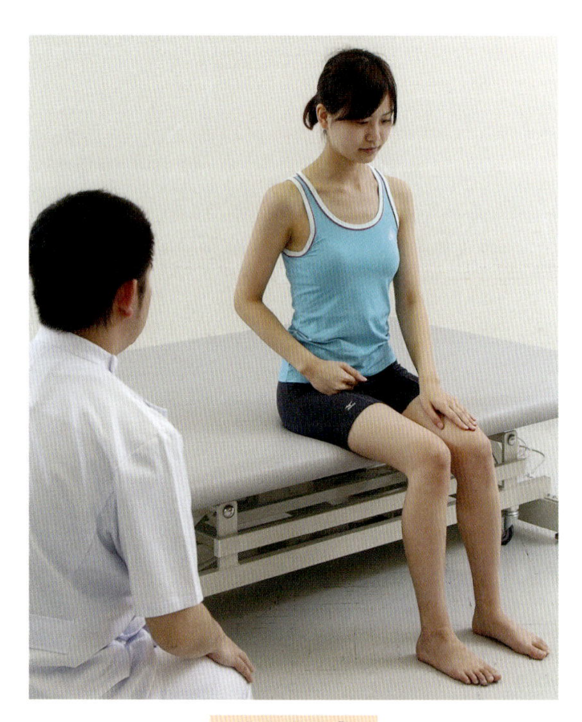

検査場面④

伸筋共同運動のスピードテスト（座位）

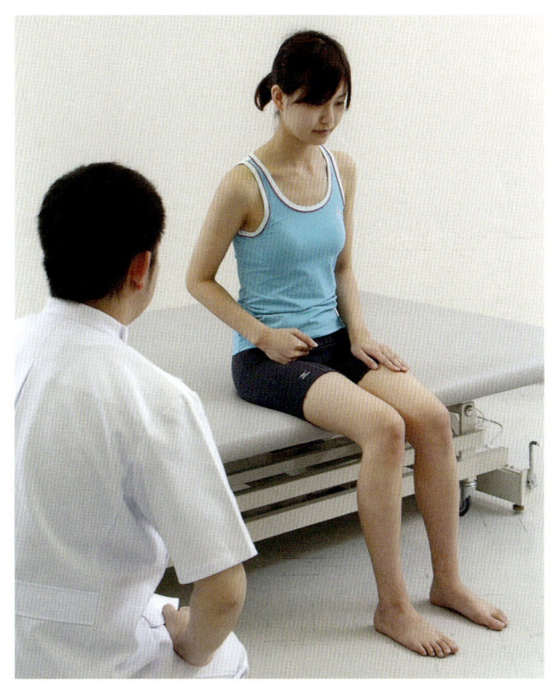

検査場面①

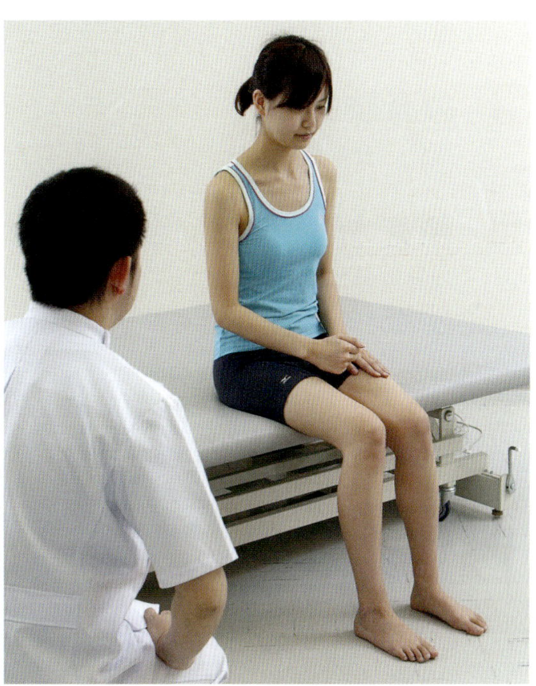

検査場面②

検査場面③

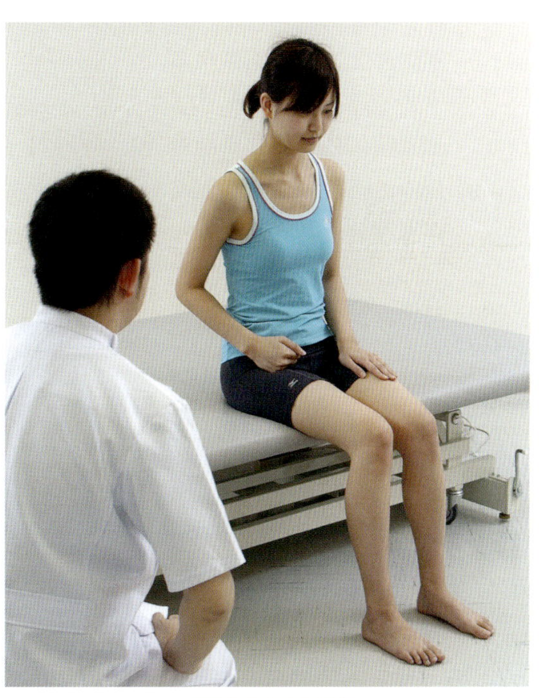

検査場面④

6 下肢 stage Ⅲ 

Ⅰ 意 義

下肢 stage Ⅲは，随意的な関節運動（屈筋共同運動，伸筋共同運動）が可能となる段階かを確認する．

Ⅱ 検査肢位

座位，背臥位，立位．

Ⅲ 検査方法

関節可動域や痛みの確認を事前に実施しておく．

【①屈筋共同運動の検査】

1 検者は，デモンストレーションとして股関節・膝関節屈曲運動の動作を行い，同様の動作を被検者に非麻痺側で実施するよう説明する．

2 非麻痺側で実施終了後，同様の動作を麻痺側にて実施させ，動きを観察する．

Ⅳ 判定基準

1 随意的に関節運動が起これば可とし，下肢 stage Ⅳへ進む（42 ページ）．

2 関節運動が起こらなければ不可とし，下肢 stage Ⅱへ進む（38 ページ）．

Ⅴ 注意点

1 大小に関係なく，関節運動が起こった時点で可と判定する．

2 可，不可のみならず，関節運動の大きさの目安として運動範囲を 4 分割し，1/4 や 3/4 と運動の大きさも記載する．

3 下肢 stage Ⅲの検査では，伸筋共同運動の検査は定められていないため，下肢 stage Ⅲの検査時に屈曲した下肢を伸ばす際に，伸筋共同運動の有無を確認する．

4 Brunnstrom の原著では，下肢 stage Ⅲの検査肢位は座位または立位となっているが，背臥位で行う場合も多い．

屈筋共同運動の検査①（座位）

検査場面①（開始肢位）

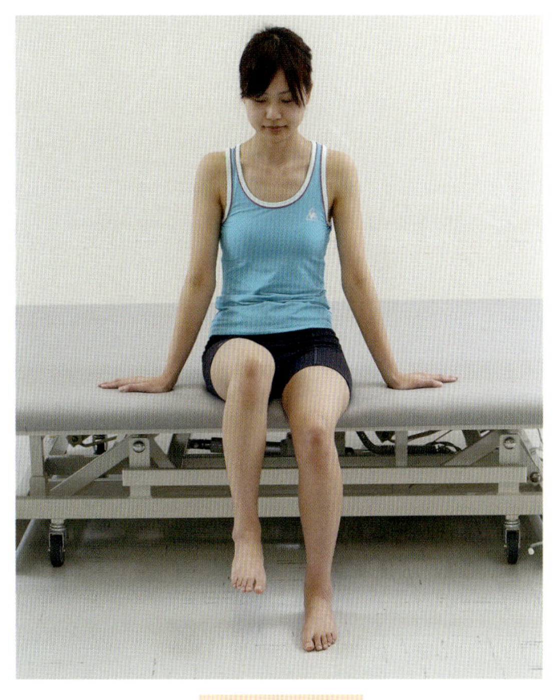

検査場面②

検査場面③（終了肢位）

屈筋共同運動の検査②（背臥位）

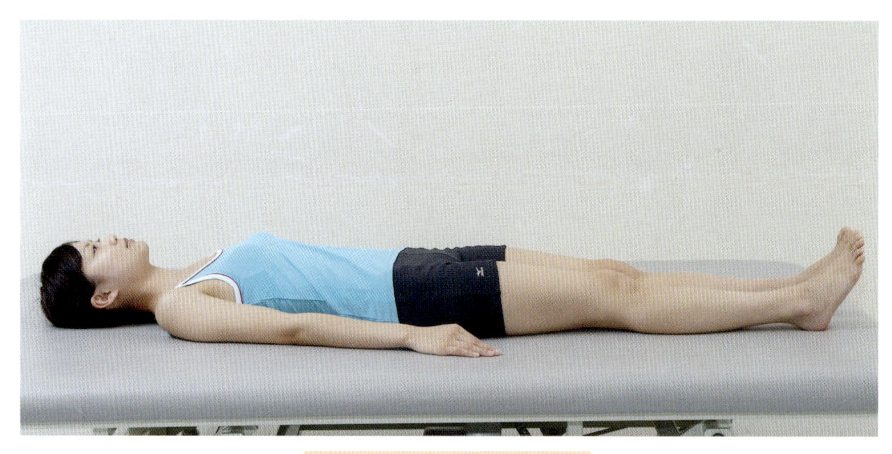

検査場面①（開始肢位）

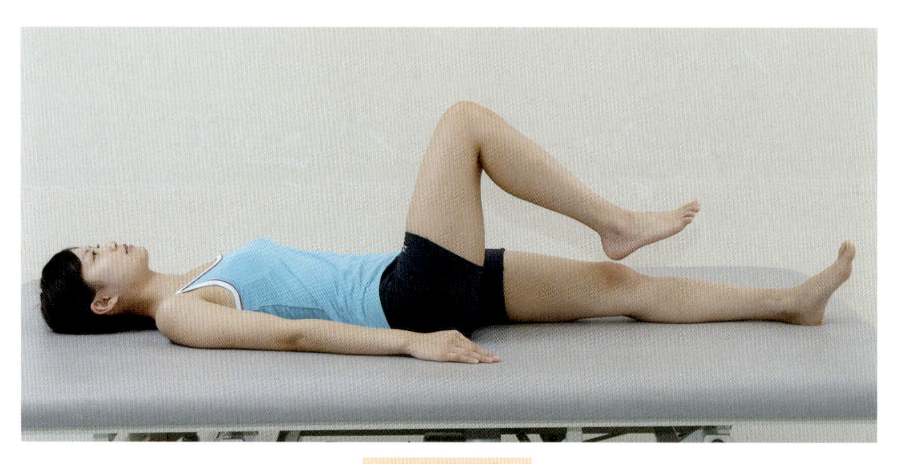

検査場面②

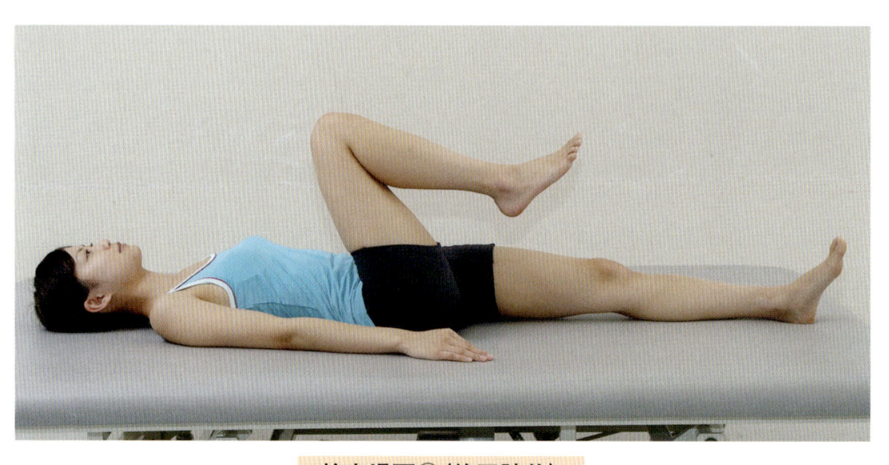

検査場面③（終了肢位）

症例で認められる動作の一例①（屈筋共同運動の検査：座位）

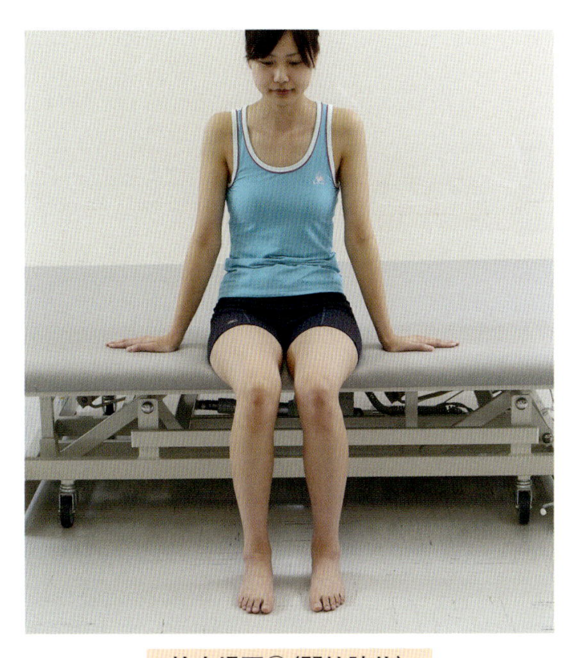

検査場面①（開始肢位）

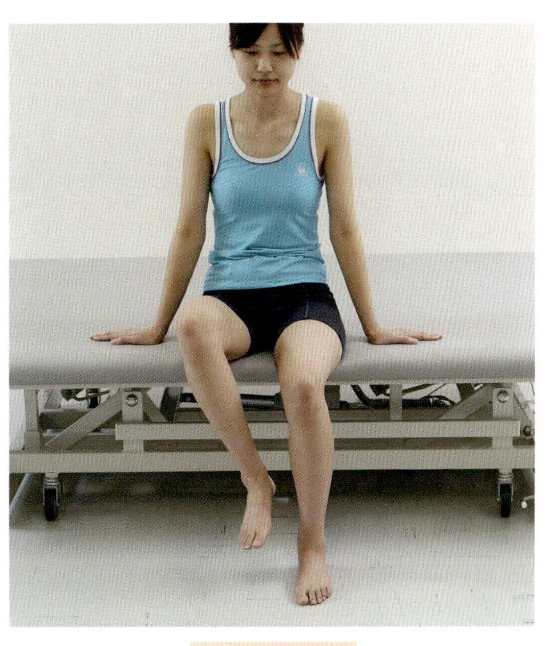

検査場面②

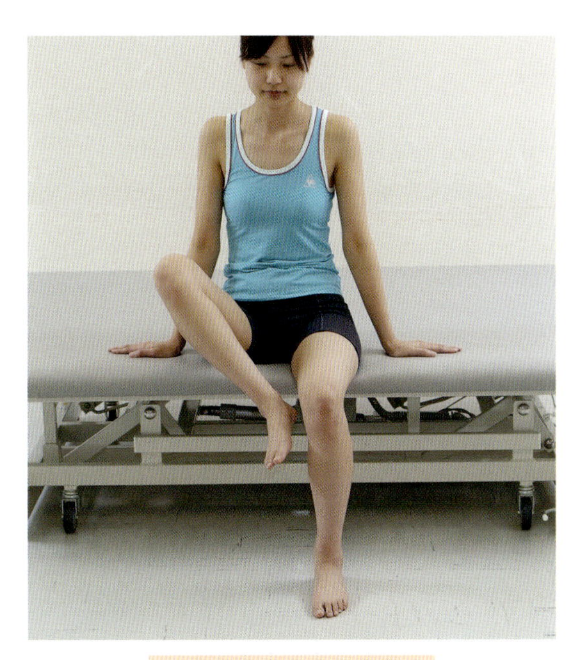

検査場面③（終了肢位）

ポイント

・この場合，随意的な関節運動が起きているため判定は可であるが，明らかな屈筋共同運動が認められる．

症例で認められる動作の一例②（屈筋共同運動の検査：背臥位）

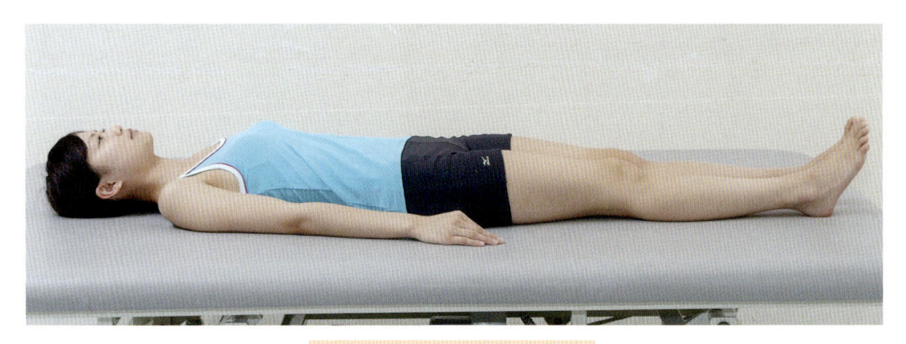

検査場面①（開始肢位）

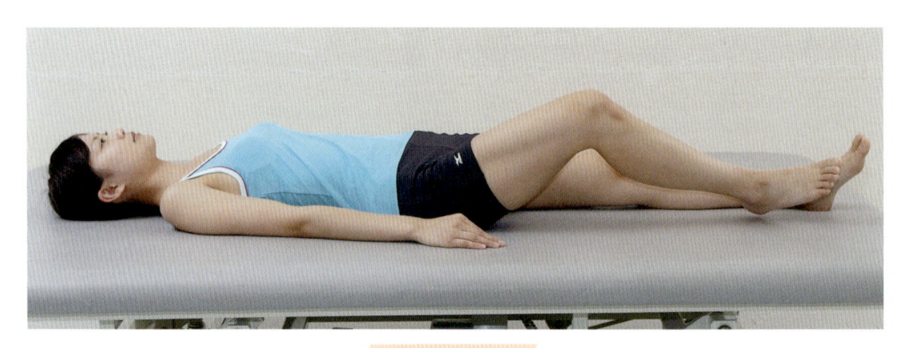

検査場面②

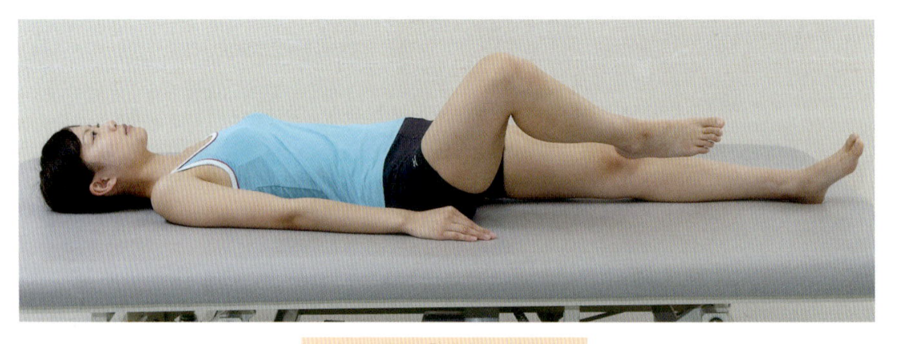

検査場面③（終了肢位）

ポイント

・この場合，随意的な関節運動が起きているため判定は可であるが，明らかな屈筋共同運動が認められる．

症例で認められる動作の一例③（伸筋共同運動の確認：背臥位）

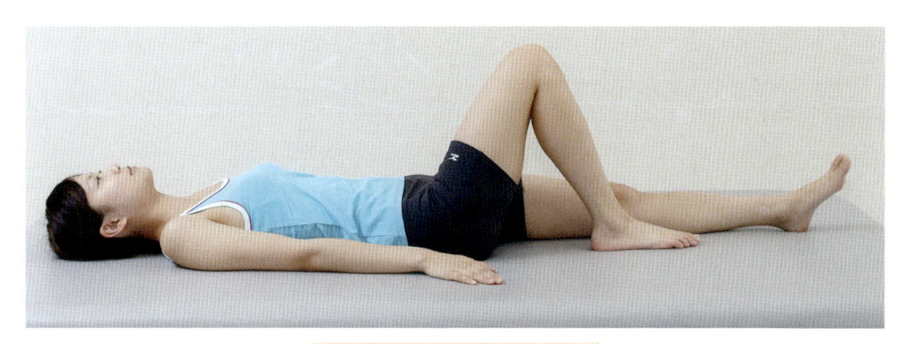

検査場面①（開始肢位）

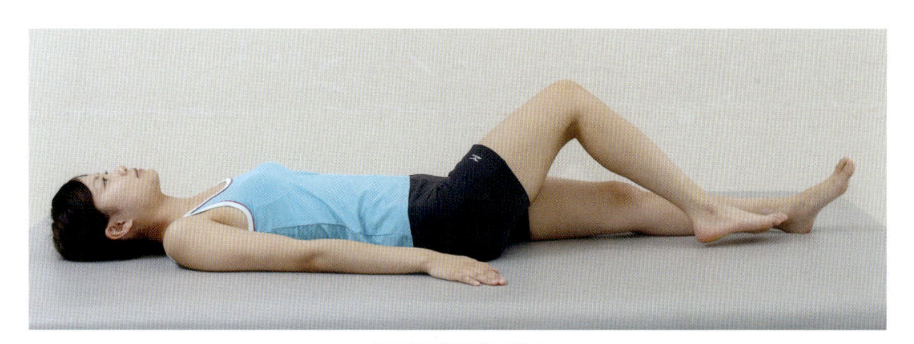

検査場面②

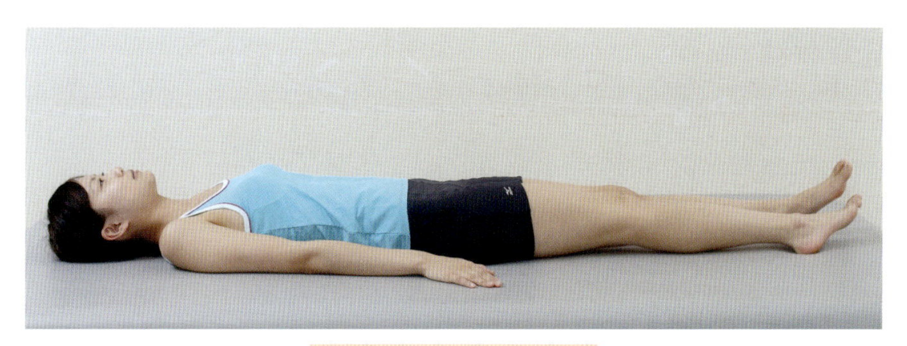

検査場面③（終了肢位）

ポイント

・検査自体に伸筋共同運動の検査はないが，屈曲した下肢を伸ばす際に確認することが可能である．この写真では伸筋共同運動の出現が認められる．

下肢 stage II

I 意義

下肢 stage II は連合反応を検証し，弛緩性麻痺の状態から痙縮が徐々に出現しはじめている段階かを確認する．

II 検査肢位

背臥位．

III 検査方法

【①Raimiste の反応を用いた連合反応検査：股関節外転】

1 検者は被検者に非麻痺側股関節を外転するよう指示し，その運動に抵抗を加える．
2 麻痺側股関節の外転運動，もしくはその一部に連合反応が出現していないか確認する．
3 麻痺側の中殿筋も触知し，収縮を確認する．

【②Raimiste の反応を用いた連合反応検査：股関節内転】

1 検者は被検者に非麻痺側股関節を内転するよう指示し，その運動に抵抗を加える．
2 麻痺側股関節の内転運動，もしくはその一部に連合反応が出現していないか確認する．
3 麻痺側の内転筋群も触知し，収縮を確認する．

【③非麻痺側下肢の伸展における対側性連合反応検査】

1 検者は被検者に非麻痺側下肢を伸展するよう指示し，その運動に抵抗を加える．
2 麻痺側下肢の屈曲運動，もしくはその一部に連合反応が出現しないか確認する．
3 非麻痺側下肢の屈曲に抵抗をかけた場合は，麻痺側下肢の伸展の連合反応を観察できる．

IV 判定基準

1 連合反応による自動運動，もしくは筋収縮が認められれば可とし，下肢 stage II と判定する．
2 連合反応による自動運動，もしくは筋収縮が認められなければ不可とし，下肢 stage I と判定する．

V 注意点

1 非麻痺側の抵抗運動を行わせるため，血圧の変化に注意する．
2 関節運動を伴った連合反応なのか，筋収縮のみの連合反応なのかをコメントとして記載する．

Raimisteの反応を用いた連合反応検査①（股関節外転：背臥位）

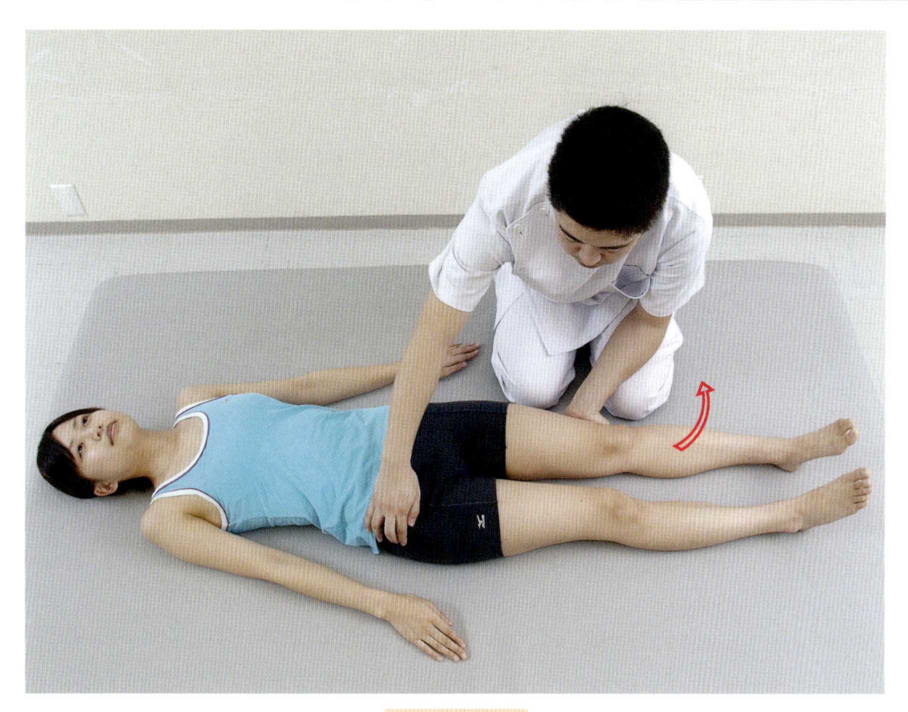

検査場面

ポイント

・連合反応の観察のみならず，中殿筋の収縮の有無を確認する．

Raimiste の反応を用いた連合反応検査②（股関節内転：背臥位）

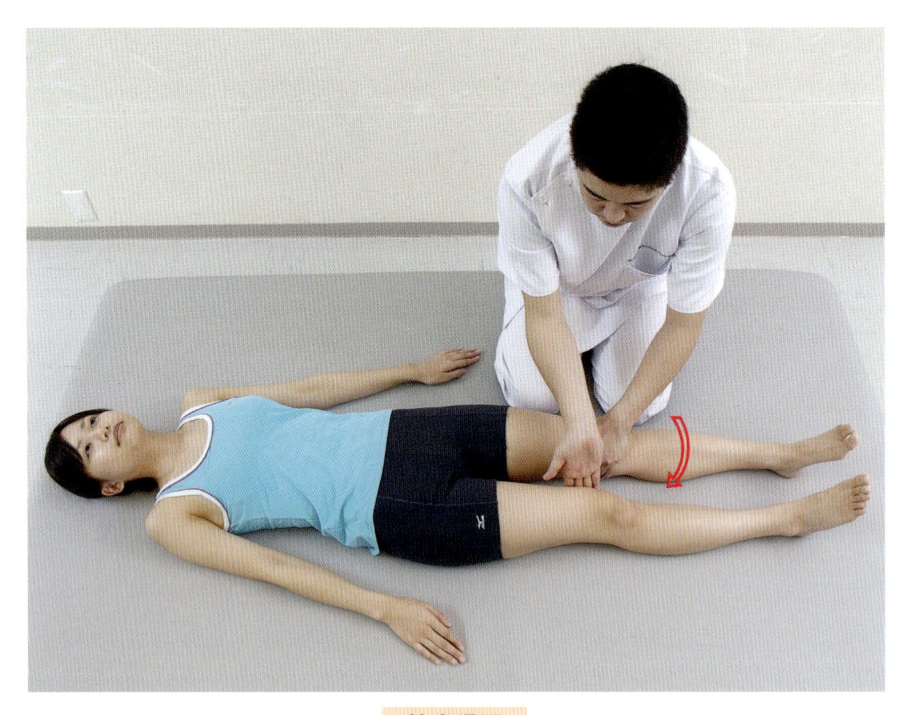

検査場面

ポイント

・連合反応の観察のみならず，内転筋群の収縮の有無を確認する．

非麻痺側下肢の伸展における対側性連合反応検査（背臥位）

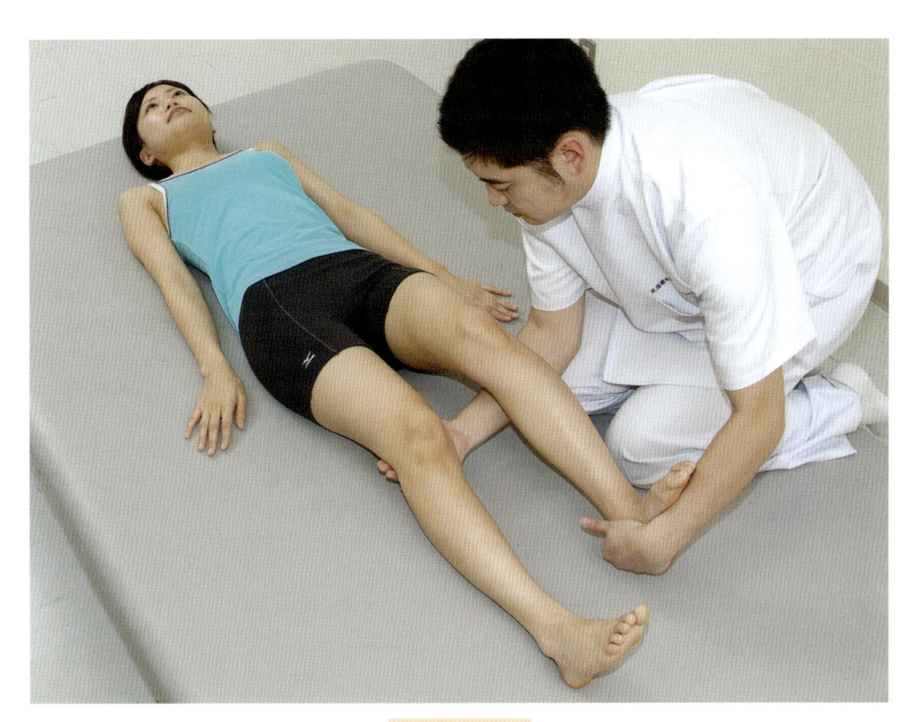

検査場面

ポイント

・連合反応の観察のみならず，ハムストリングスの収縮の有無を確認する．

8 下肢 stage Ⅳ

Ⅰ 意 義

下肢 stageⅣは，共同運動から一部分離運動が可能となる段階かを確認する．

Ⅱ 検査肢位

座位．

Ⅲ 検査方法

関節可動域や痛みの確認を事前に実施しておく．

【①膝関節を 90° 以上屈曲して足を後ろへ引く動作の検査】

1 検者は，デモンストレーションとして足を少し前方へ出した位置にて，踵を浮かさないように膝関節を 90° 以上屈曲する動作を行い，同様の動作を被検者に非麻痺側で実施するよう説明する．

2 非麻痺側で実施終了後，同様の動作を麻痺側にて実施させ，動きを観察する．

【②足関節を背屈する動作の検査】

1 検者は，デモンストレーションとして踵を浮かさないように足関節の背屈動作を行い，同様の動作を被検者に非麻痺側で実施するよう説明する．

2 非麻痺側で実施終了後，同様の動作を麻痺側にて実施させ，動きを観察する．

Ⅳ 判定基準

1 ①と②のすべての動作，もしくはどれか一つ以上の動作が可能であればで可とし，下肢 stageⅤへ進む （48 ページ）．

2 ①と②のすべての動作が不可能であれば，下肢 stageⅢと判定する．

Ⅴ 注意点

1 ①の動作の可否判定基準は厳密に定められておらず，踵が浮かない，もしくは 90° 以上の膝関節屈曲が可の条件である．他の類似検査では，膝関節は屈曲 100° 以上行えれば可としているものもある．

2 ①の動作において，足底と床との摩擦が強く滑りが悪い場合はタオルなどを用いて行う方法もある．

3 ②の動作の可否判定基準は，厳密には定められていない．足関節背屈動作は内反で代償することがあるため，第 5 中足骨が床から離れることが可の条件としていることもある．他の類似検査では，5° 以上の足関節背屈が可の条件としているものもある．

4 可，不可のみならず，関節運動の大きさの目安として運動範囲を 4 分割し，1/4 や 3/4 と運動の大きさも記載する．ただし，足関節背屈動作は 2 分割とする．

膝関節を 90° 以上屈曲して足を後ろへ引く動作の検査（座位）

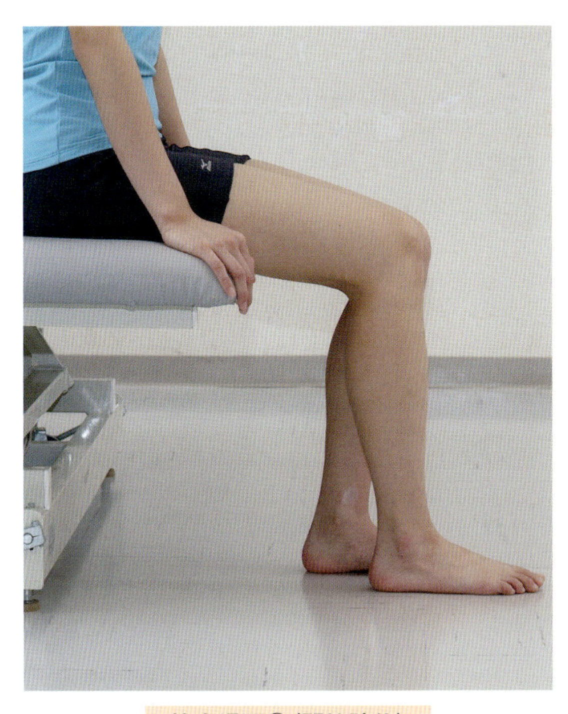

検査場面①（開始肢位）

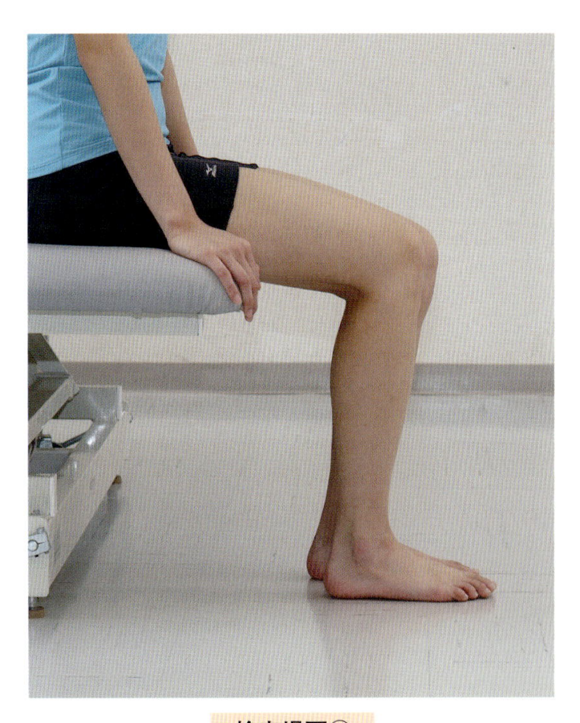

検査場面②

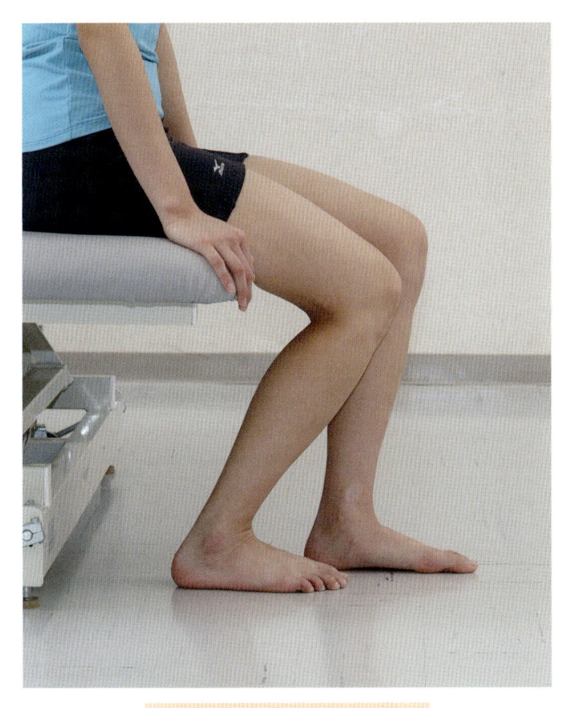

検査場面③（終了肢位）

足関節を背屈する動作の検査（座位）

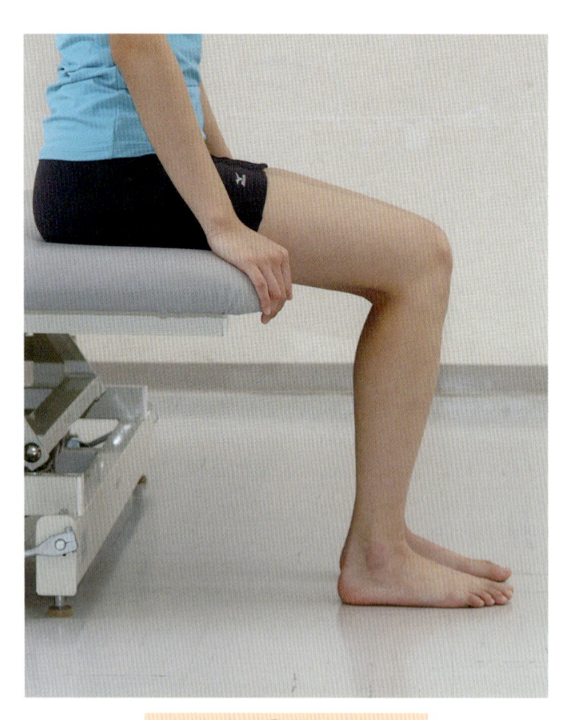

検査場面①（開始肢位）

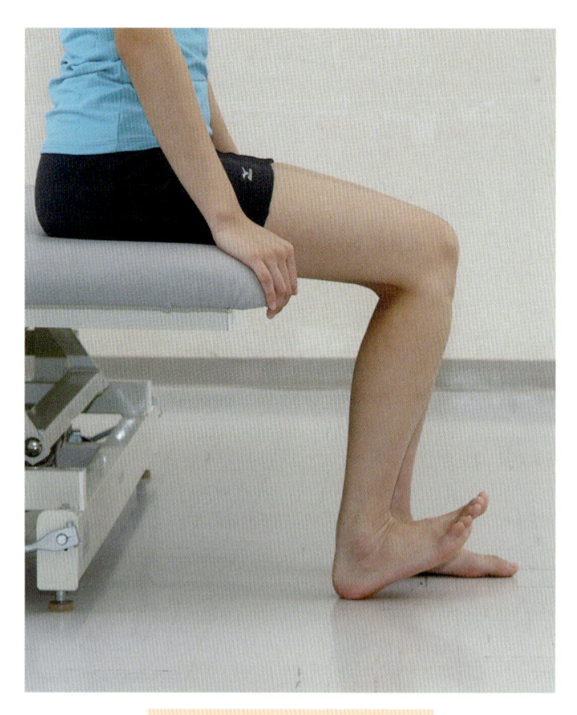

検査場面②（終了肢位）

別法：膝関節を 90° 以上屈曲して足を後ろへ引く動作の検査（座位）

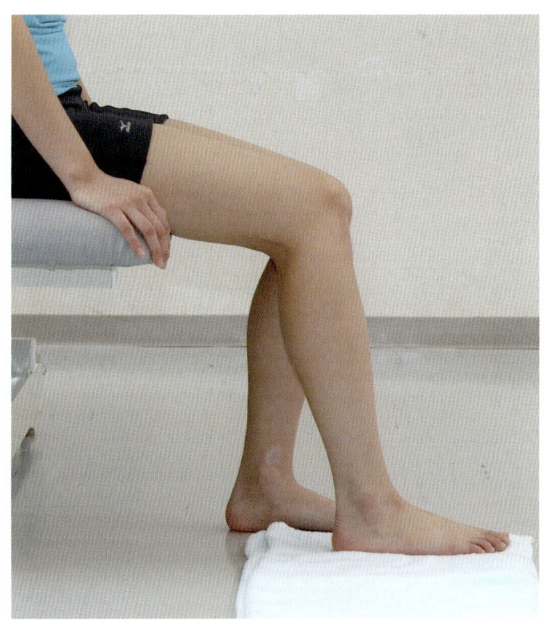

検査場面①（開始肢位）

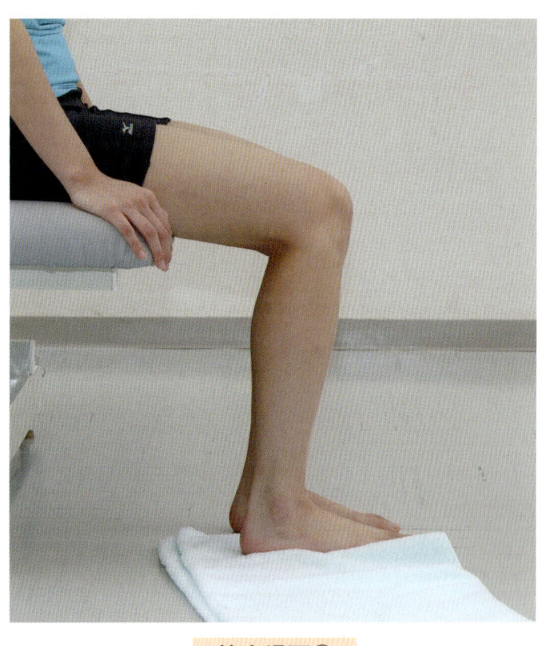

検査場面②

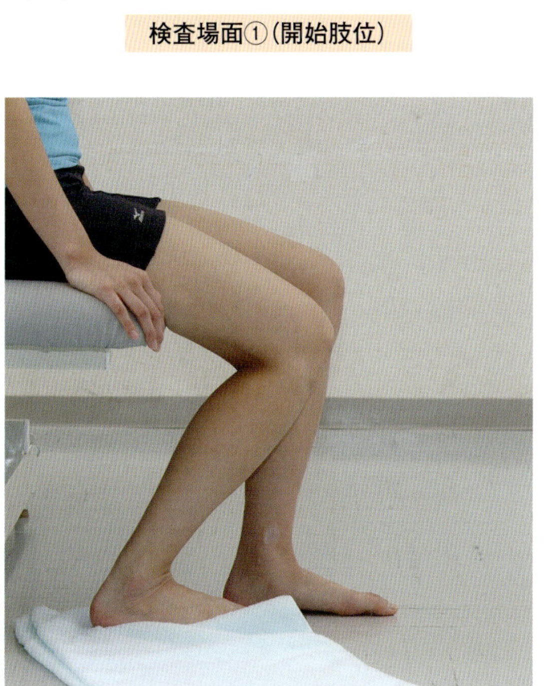

検査場面③（終了肢位）

ポイント

・床の摩擦が大きく滑りづらい時には，タオルを引くなど工夫を行う．

症例で認められる動作の一例①（膝関節を90°以上屈曲して足を後ろへ引く動作の検査）

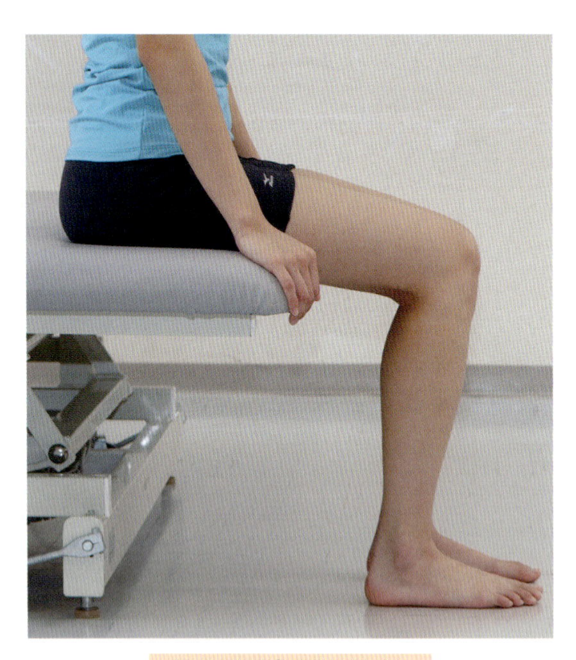

検査場面①（開始肢位）

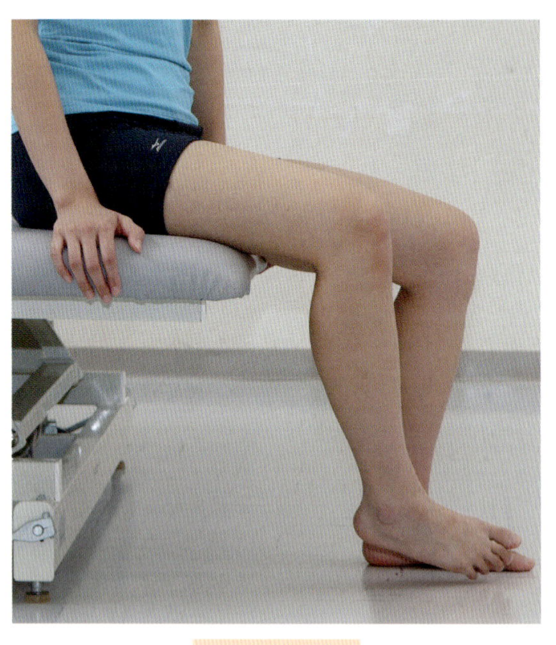

検査場面②

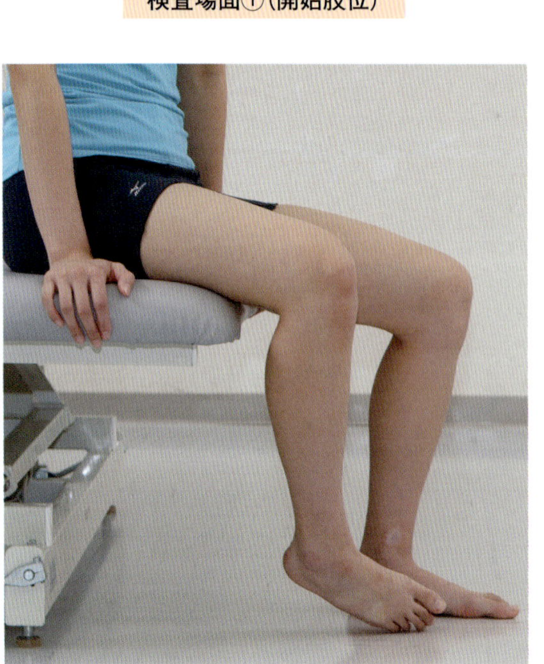

検査場面③（終了肢位）

ポイント

・この場合，分離運動の不十分により屈筋共同運動パターンが認められ，踵が床から離れているため判定は不可である．

症例で認められる動作の一例②（足関節を背屈する動作の検査）

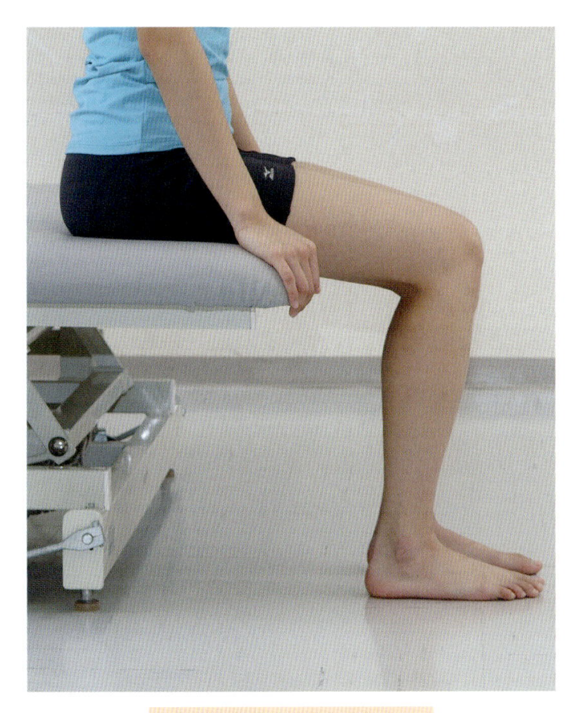

検査場面①（開始肢位）

検査場面②（終了肢位）

ポイント

・この場合，内反による代償が明らかであり，足趾が浮いているが足関節背屈が行われていないため判定は不可である．

下肢 stageⅤ

Ⅰ 意義

下肢 stageⅤは，運動時の共同運動の優位性が徐々に失われはじめ，難しい分離運動の組み合せが可能な段階かを確認する．

Ⅱ 検査肢位

立位．

Ⅲ 検査方法

関節可動域や痛みの確認を事前に実施しておく．

【①股関節中間位，もしくはそれに近い状態で膝関節を屈曲する動作の検査】

1 検者は，デモンストレーションとして股関節を中間位に位置させた状態で膝関節を屈曲するよう説明する．

2 検者は被検者に立位をとらせ，転倒を予防しながら麻痺側膝関節の屈曲を誘導し，運動を再確認させる．確認後，膝関節の屈曲動作を実施させ，動きを観察する．

【②足関節を背屈する動作の検査】

1 検者は，デモンストレーションとして足を少し前に踏み出した位置にて膝関節伸展位で踵部は浮かさずに足関節背屈するよう説明を行う．

2 検者は被検者に立位をとらせ，転倒を予防しながら麻痺側足関節の背屈を誘導し，運動を再確認させる．確認後，足関節背屈動作を実施させ，動きを観察する．

Ⅳ 判定基準

1 ①と②のすべての動作，もしくはどれか一つ以上の動作が可能であれば可とし，下肢 stageⅥへ進む（52ページ）．

2 ①と②のすべての動作が不可能であれば，下肢 stageⅣと判定する．

Ⅴ 注意点

1 非麻痺側での片脚立位となるため，立位が安定しない場合は平行棒の利用や検者が介助を行う．

2 転倒には最大限注意する．

3 ①の動作の可否判定基準は厳密に定められていないが，若干の股関節屈曲が出現した中で膝関節屈曲を行うようであれば，その程度をコメントとして記載する．

4 ②の動作の可否判定基準は厳密には定められていないが，第5中足骨が床から離れることが可の条件としているものもある．

5 可，不可のみならず，関節運動の大きさの目安として運動範囲を4分割し，1/4や3/4と運動の大きさも記載する．ただし，足関節背屈動作は2分割とする．

股関節伸展位，もしくはそれに近い状態で膝関節を屈曲する動作の検査（立位）

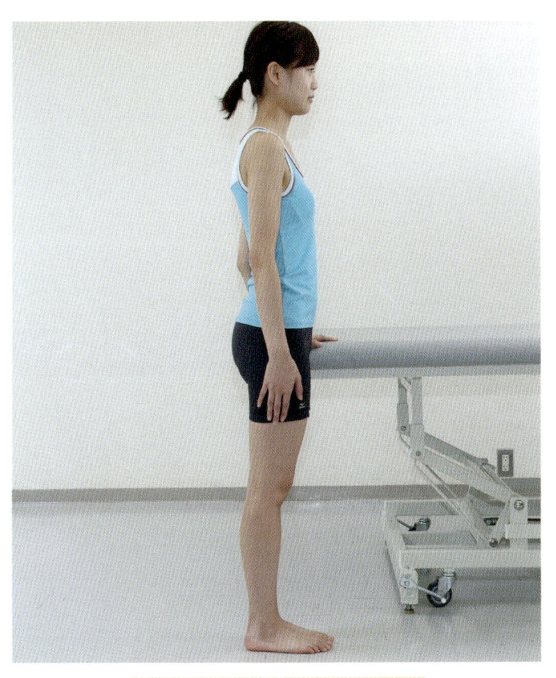

検査場面①（開始肢位）

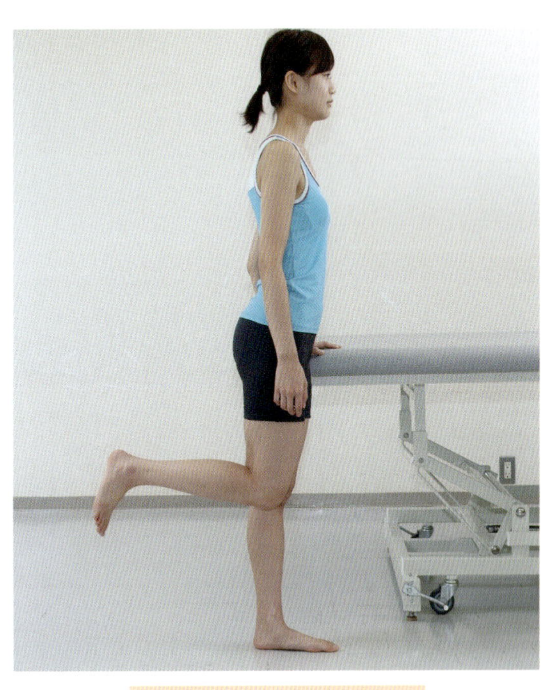

検査場面②（終了肢位）

足関節を背屈する動作の検査（立位）

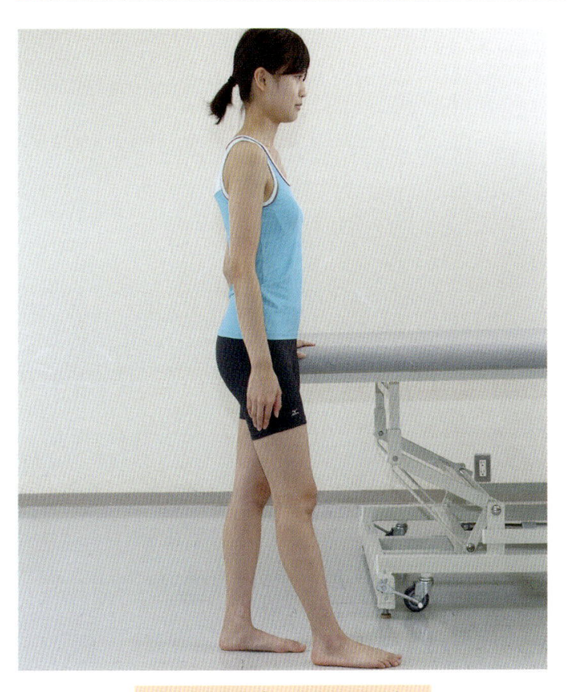

検査場面①（開始肢位）

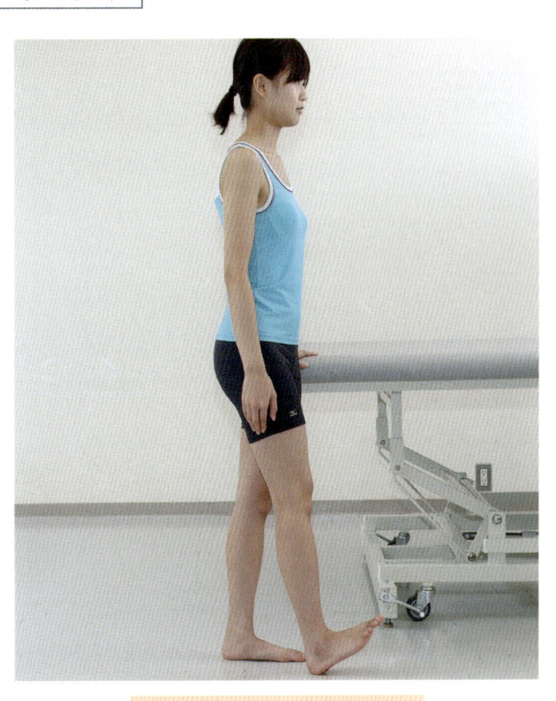

検査場面②（終了肢位）

症例で認められる動作の一例①（股関節伸展位，もしくはそれに近い状態で膝関節を屈曲する動作の検査）

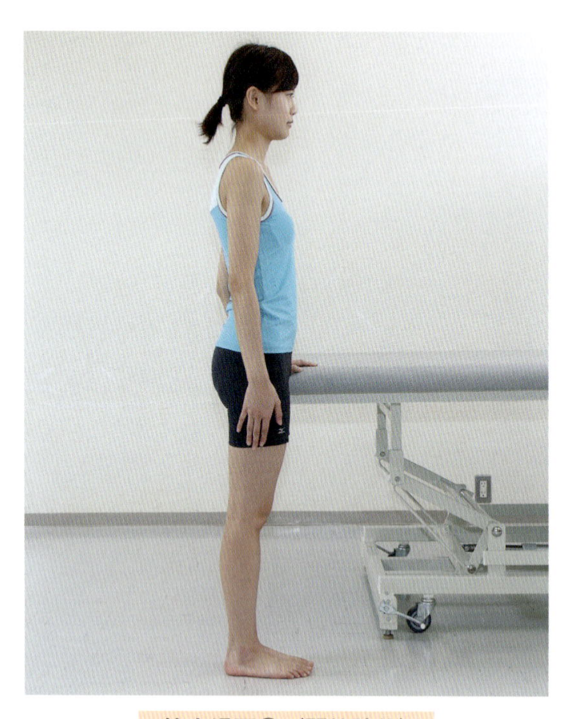

検査場面①（開始肢位）

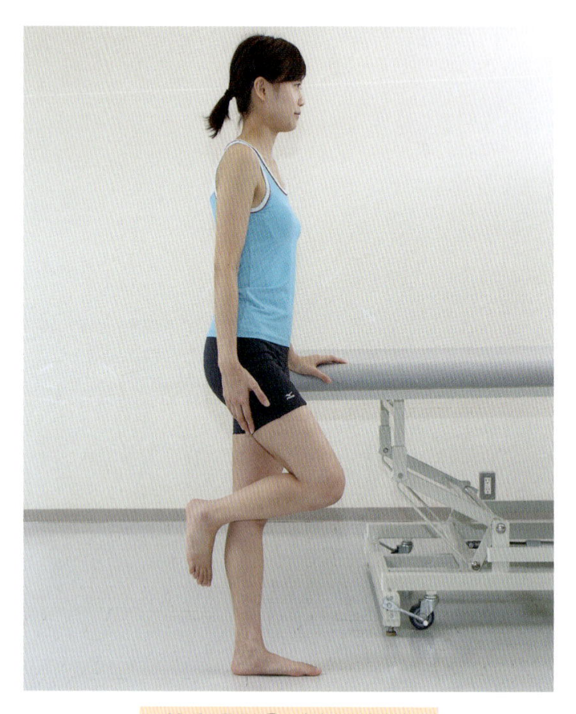

検査場面②（終了肢位）

ポイント

・この場合，股関節屈曲や股関節外旋などの共同運動パターンの一部が残存しており，分離が不十分なため，判定は不可である．

症例で認められる動作の一例②（足関節を背屈する動作の検査）

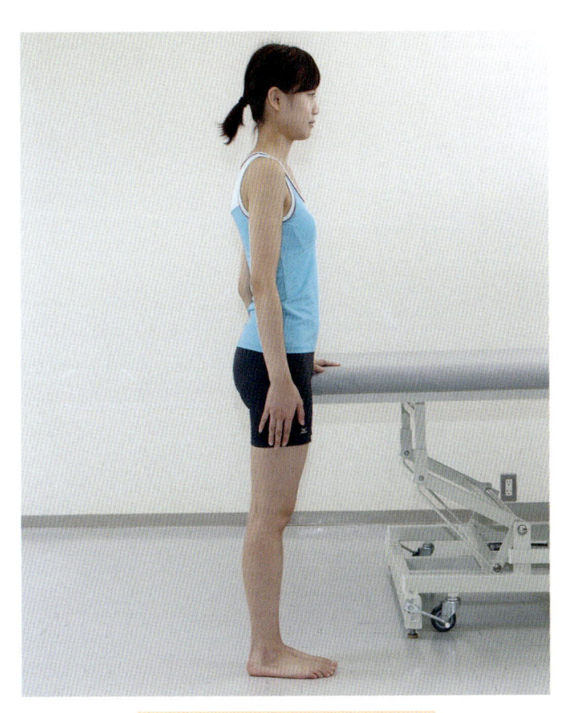

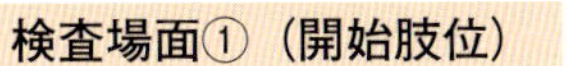
検査場面①（開始肢位）

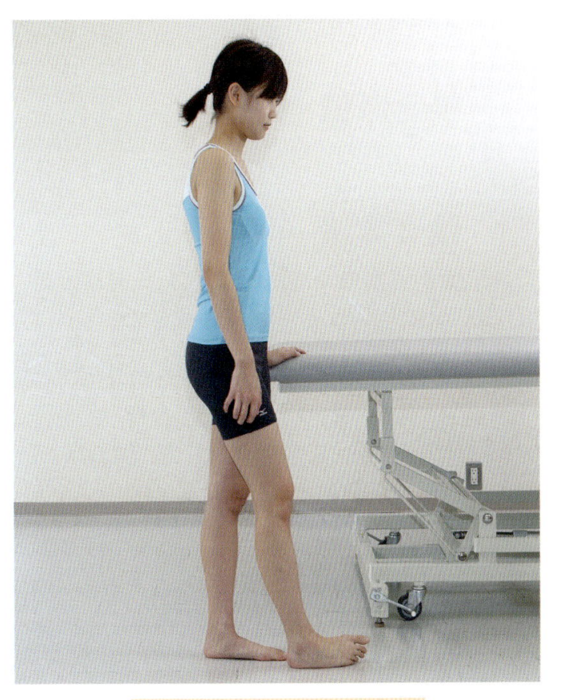

検査場面②（終了肢位）

ポイント

・この場合，内反による代償が明らかであり，足趾が浮いているが足関節背屈が行われていないため判定は不可である．

下肢 stageⅥ

Ⅰ 意 義

下肢 stageⅥは，痙縮の消失により個々の関節運動が可能となり，協調性が正常に近づいていく段階かを確認する．

Ⅱ 検査肢位

立位または座位．

Ⅲ 検査方法

関節可動域や痛みの確認を事前に実施しておく．

【①股関節を外転する動作の検査】

1 検者は，デモンストレーションとして股関節を外転するよう説明する．
2 検者は被検者に立位をとらせ，転倒を予防しながら麻痺側の股関節外転を誘導し，運動を再確認させる．確認後，股関節外転を実施させ，動きを観察する．

【②下腿を内旋・外旋する動作の検査】

1 検者は，デモンストレーションとして下腿を内旋・外旋する動作を行い，同様の動作を被検者に非麻痺側で実施するよう説明する．
2 非麻痺側で実施終了後，同様の動作を麻痺側にて実施させ，動きを観察する．その際，外側・内側ハムストリングスも同時に触診し，リズミカルに交互で収縮を行っているか確認する．

Ⅳ 判定基準

1 ①と②のすべての動作，もしくはどれか一つ以上の動作が可能であれば可とし，下肢 stageⅥと判定する．
2 ①と②のすべての動作が不可能であれば，下肢 stageⅤと判定する．

Ⅴ 注意点

1 ①は非麻痺側での片脚立位となるため，立位が安定しない場合は平行棒の利用や検者が介助を行う．
2 転倒には最大限注意する．
3 ①の動作の可否判定基準は厳密に定められていないが，体幹の側方傾斜による見せかけの股関節外転動作など，代償動作には注意をする．
4 ②の動作の可否判定基準は厳密には定められていないが，動作のみならず内側・外側ハムストリングスの収縮も確認する．
5 ①の動作においては可，不可のみならず，関節運動の大きさの目安として運動範囲を 4 分割し，1/4 や 3/4 と運動の大きさも記載する．

股関節を外転する動作の検査（立位）

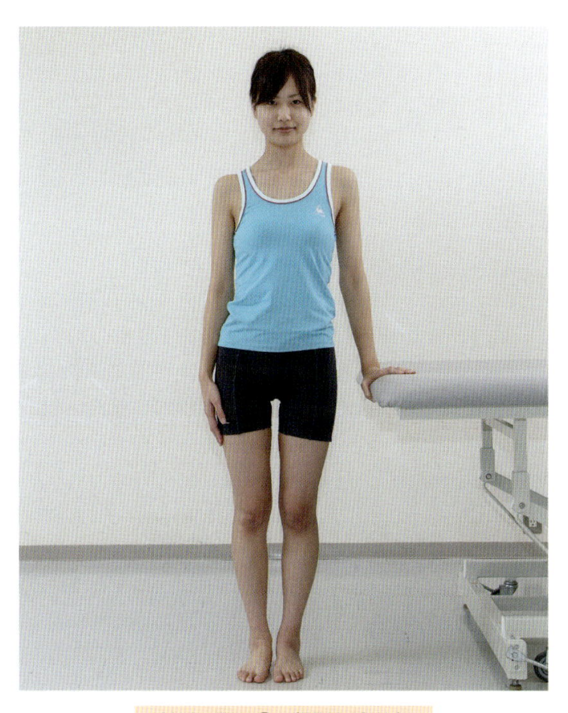

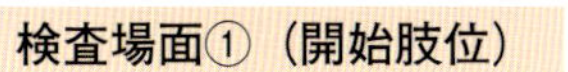

検査場面①（開始肢位）

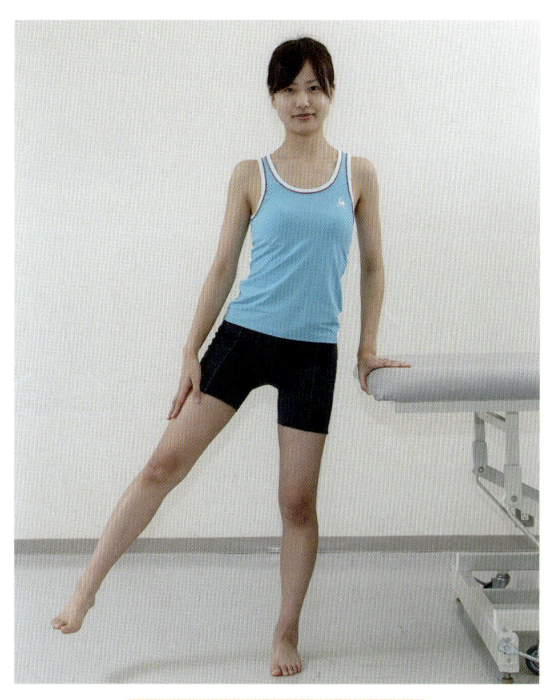

検査場面②（終了肢位）

下腿を内旋・外旋する動作の検査（座位）

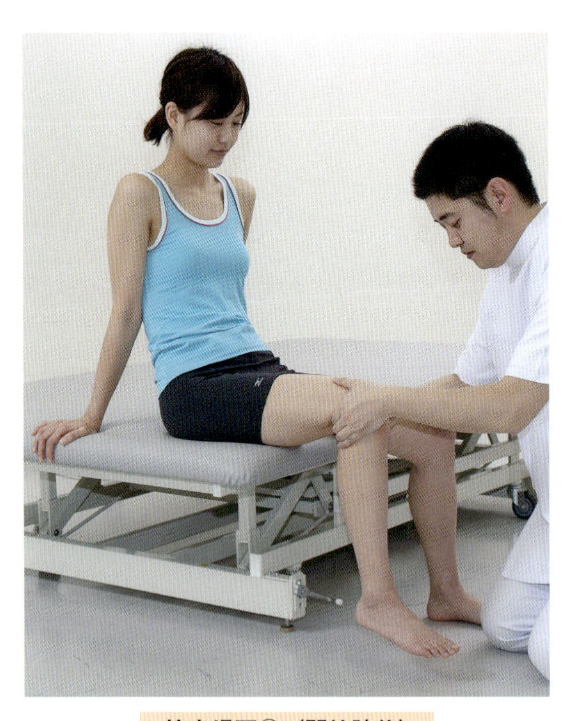

検査場面①（開始肢位）

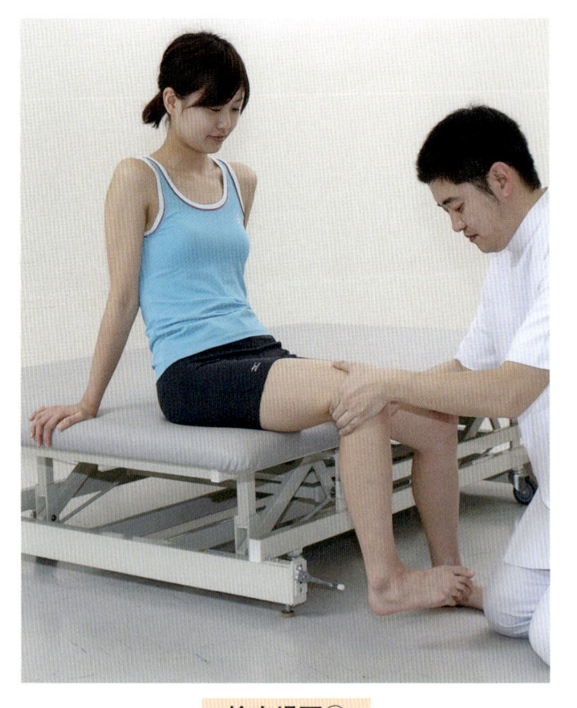

検査場面②

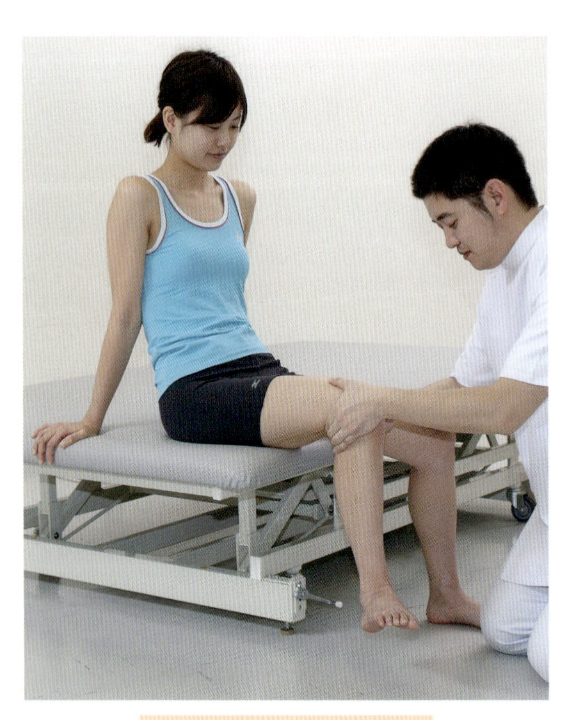

検査場面③（終了肢位）

症例で認められる動作の一例（股関節を外転する動作の検査）

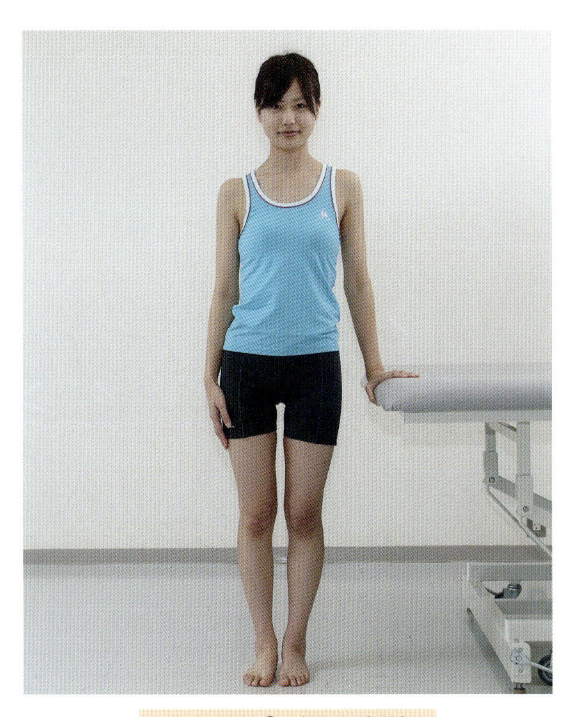

検査場面①（開始肢位）

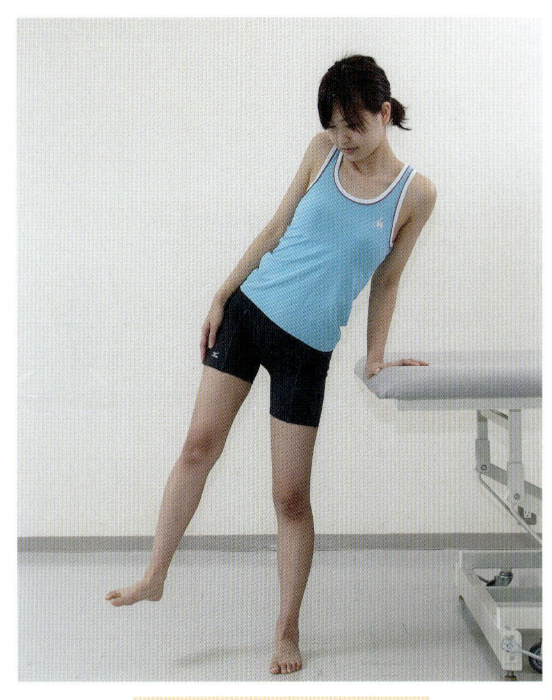

検査場面②（終了肢位）

ポイント

・この場合，体幹の傾斜や骨盤の引き上げによる代償により見かけ上の股関節外転が出現しているため，判定は不可である．

手　指

Ⅰ 意　義

Brunnstrom らの片麻痺の回復ステージ概念に沿って手指機能の改善段階を確認する．手指の検査では上肢・下肢の検査概念とは違った方法が規定されている．

Ⅱ 検査肢位

座位．

Ⅲ 検査方法・判定基準

【stage Ⅰ】

弛緩性麻痺，運動困難．

【stage Ⅱ】

連合反応による自動的な手指屈曲はわずかに可能状態である．

【stage Ⅲ】

全指同時握り，鉤形握りで握ることはできるが，離すことができない．随意的な手指伸展は不能，反射による手指伸展は可能である．

【stage Ⅳ】

横つまみと母指を動かして離すことは可能である．半随意的な手指伸展は少範囲で可能である．

【stage Ⅴ】

対向つまみ，筒握り，球握りは，だいたい可能である．動きは不器用で機能的な使用は制限されている．随意的な手指伸展は可能だが，その範囲は一定しない．

【stage Ⅵ】

すべての種類の握りが可能で，巧緻性も改善し，全可動域の手指伸展ができる．個別の手指の運動は，健側に比して正確さは劣るが可能である．

stageⅢ（全指同時握り）

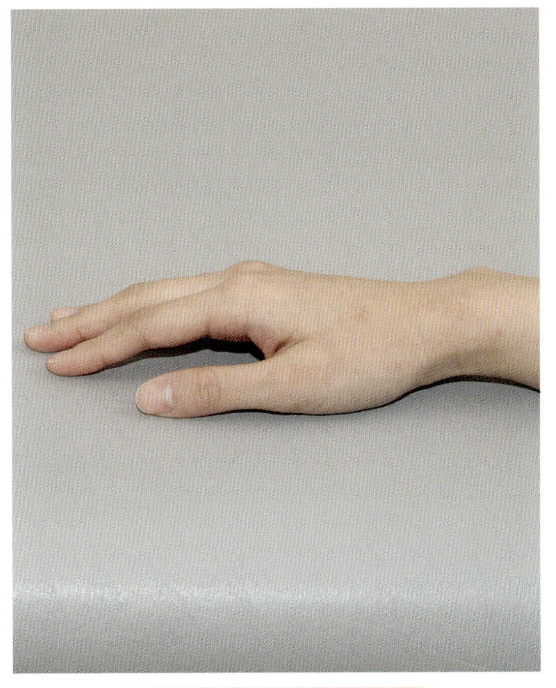

検査場面①（開始肢位）

検査場面②（終了肢位）

stageⅢ（鉤型握り）

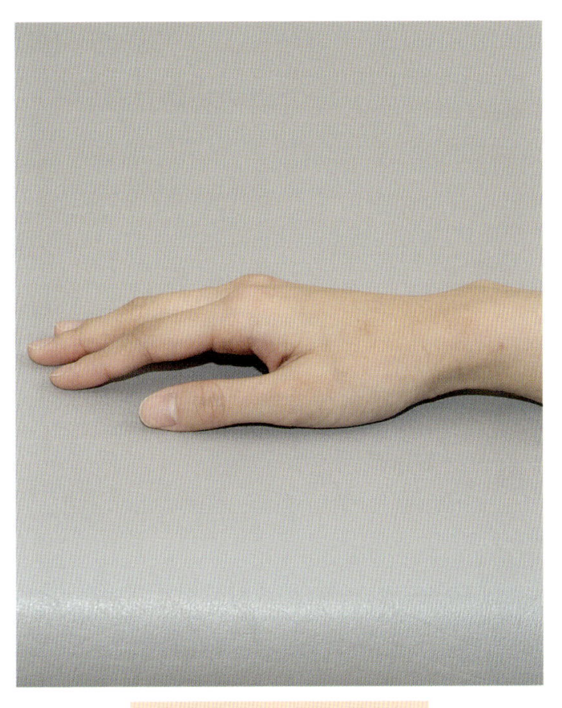

検査場面①（開始肢位）

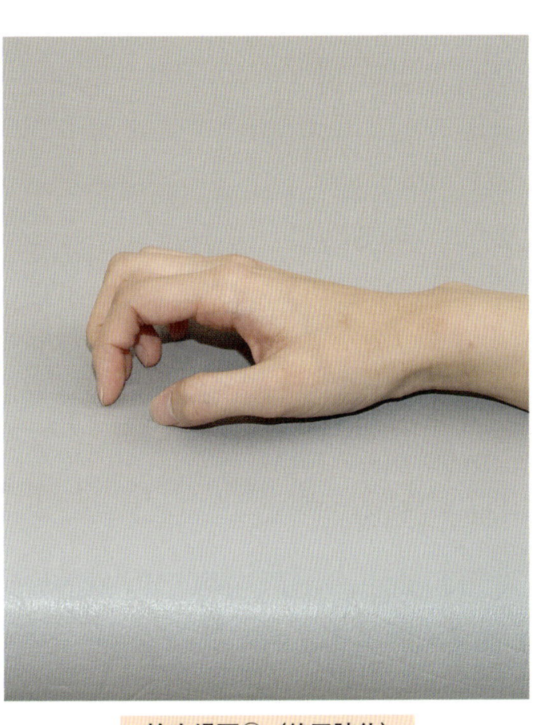

検査場面②（終了肢位）

stageⅣ（横つまみ）

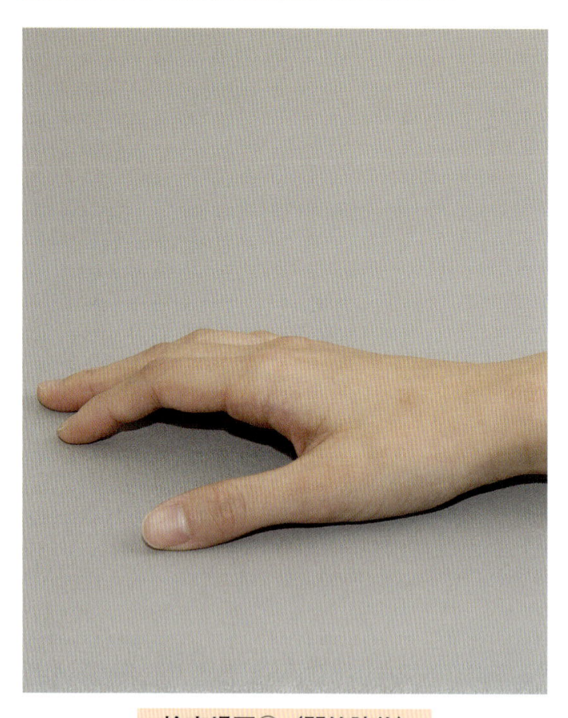

検査場面①（開始肢位）

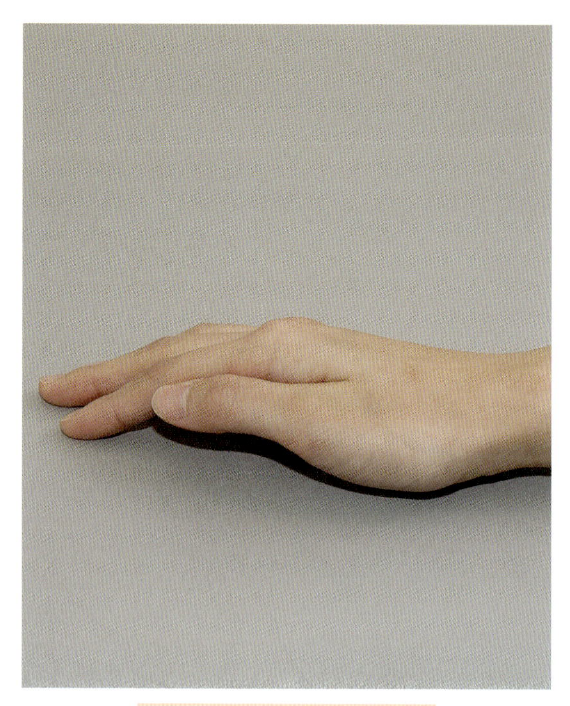

検査場面②（終了肢位）

stageⅣ（少範囲の半随意的な手指伸展）

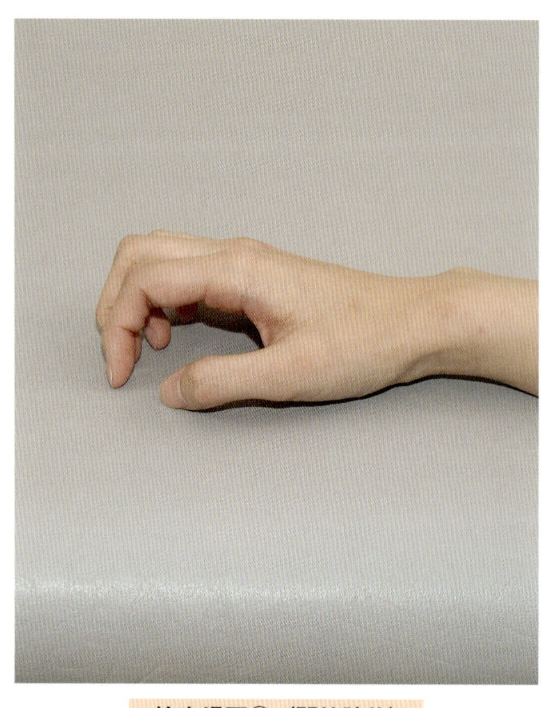

検査場面①（開始肢位）

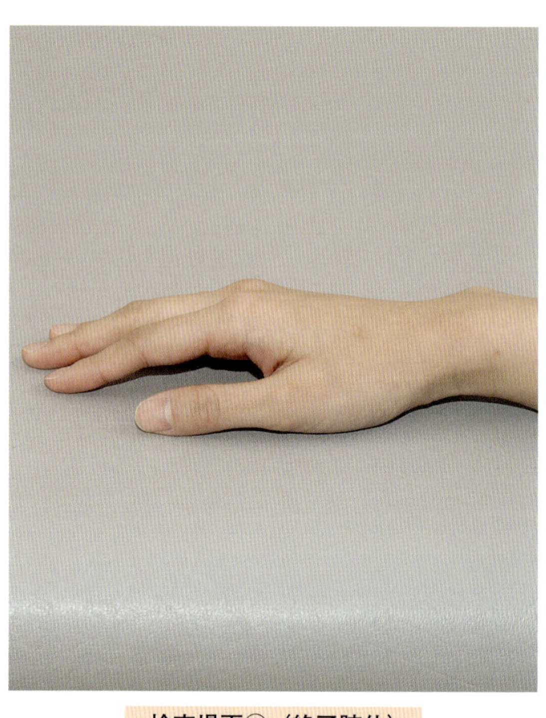

検査場面②（終了肢位）

stage Ⅴ（筒握り）

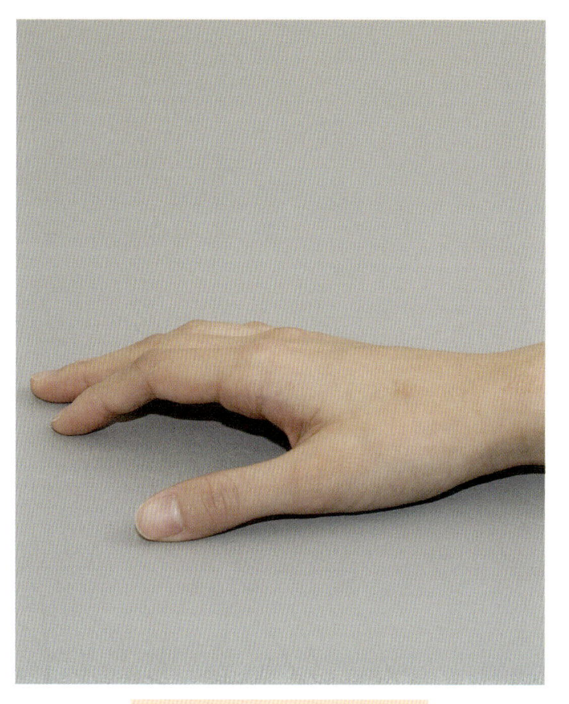

検査場面①（開始肢位）

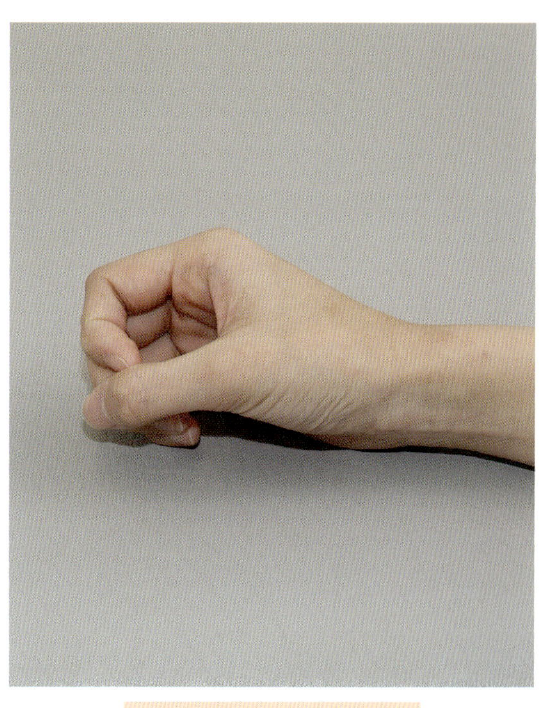

検査場面②（終了肢位）

stage Ⅴ（随意的な手指伸展）

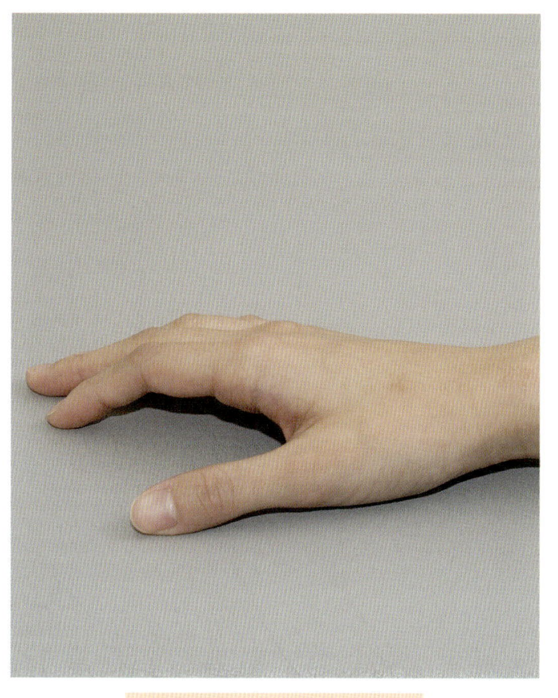

検査場面①（開始肢位）

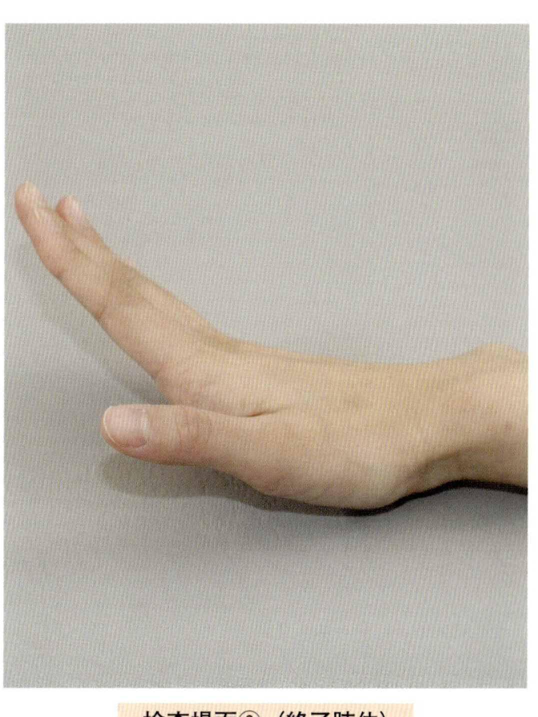

検査場面②（終了肢位）

stageⅥ（手指の分離）

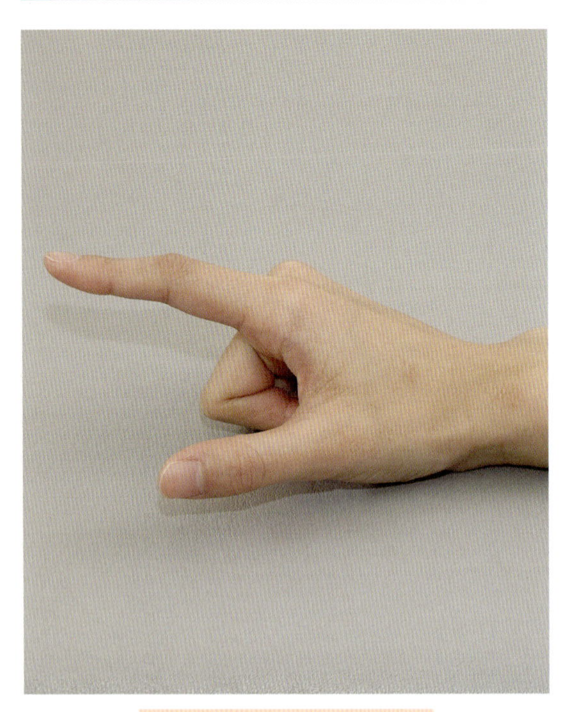

検査場面①（終了肢位）

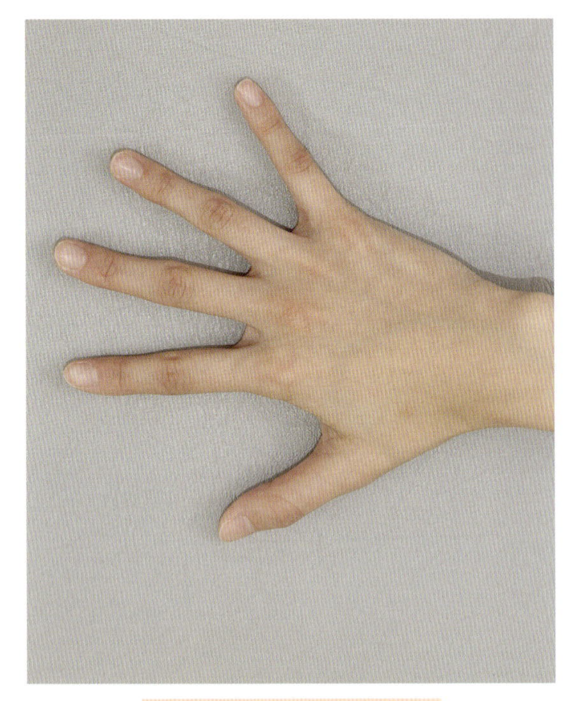

検査場面②（終了肢位）

第2章 協調性検査

協調性検査とは

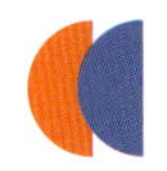

1 協調性とは

協調性（coordination）とは，動作に対して運動に関与する筋群の調和がとれた働きにより，運動を円滑かつ正確に遂行する能力である．運動における協調性は，時間的配列，空間的配列，強さの配列の3要素から構成されている（**図1**）．これら3要素を調整するためには，中枢神経系により統合されたプログラムを実施する筋の協調的活動やプログラムを企画するための正確な感覚入力によるフィードバックが必要とされる．

2 協調運動障害

運動における協調性が障害された状態を協調運動障害という．協調運動障害は，運動麻痺によるもの，不随意運動によるもの，運動失調によるものなど，さまざまな原因があり，そのほかには特定の筋群の筋力低下や感覚障害などでも協調運動障害を引き起こす．つまり協調運動障害の原因は多様であり，それを検査するには病態に応じたさまざまな検査測定の組み合わせが必要となってくる．本書においては協調運動障害の一つである運動失調に絞り，病態や検査法を紹介する．

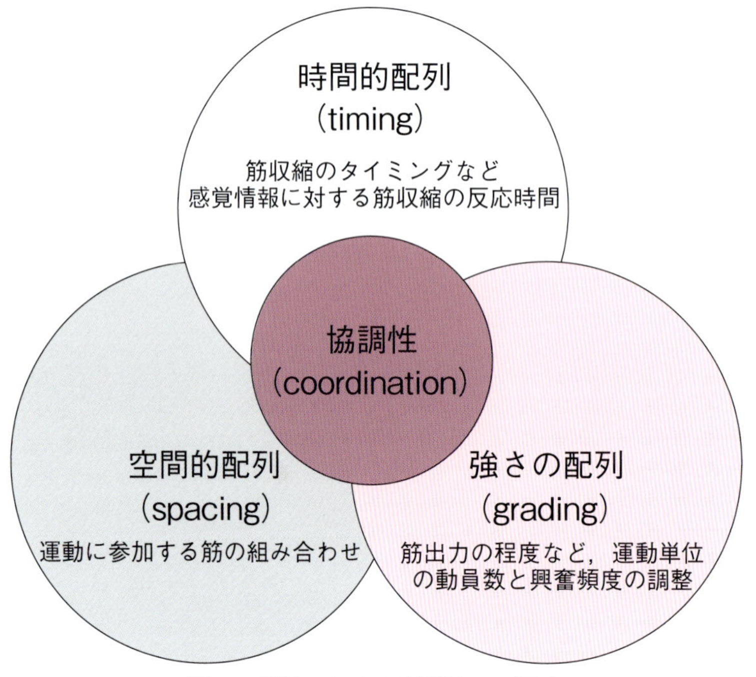

図1　運動における協調性の3要素

3 運動失調の分類

運動失調とは，協調運動障害の一つで「筋力低下（運動麻痺を含む）がないのにもかかわらず，運動の正確さや円滑さがかけた状態」と定義されている．しかし，臨床においては運動失調による二次的障害として筋力低下や関節可動域制限が起こり，筋力低下をもつ運動失調も認められることがあるので注意する．また，神経系の損傷により運動失調が起こると同時に麻痺が認められることもある．運動失調は基本的に，①小脳性運動失調，②深部感覚性運動失調，③前庭迷路性運動失調の3型に分類される．

1）小脳性運動失調

小脳性運動失調とは，小脳皮質と小脳への求心路，小脳からの遠心路の障害により起こる運動失調である．身体の位置を認識し姿勢を調整するといわれている小脳虫部（旧小脳）が障害されると，体幹・下肢の運動失調や歩行障害が認められる．また，小脳半球（新小脳）は四肢随意運動の円滑化に関与するとされており，その障害においては障害側と同側の上下肢に運動失調が出現する．特に小脳小節や小脳片葉は，前庭機能と関連し平衡機能をつかさどるため障害を受けると，静止時の平衡機能障害を引き起こすとされている（**図2**）．

小脳性運動失調を引き起こす主な疾患としては，小脳の変性疾患やアルコール性小脳萎縮症，小脳腫瘍，小脳や脳幹の梗塞・出血であり，小脳性運動失調は視覚による代償がきかないことが多い運動失調である．

2）深部感覚性運動失調

深部感覚性運動失調は，その障害部位によって脊髄性運動失調と末梢性運動失調に分けられるが，主に末梢神経や脊髄後索の病変が原因とされている．具体的には，感覚の上行性伝導路が障害されるため，深部感覚や識別覚の鈍麻または消失が起こり，感覚フィードバックが働かず運動失調が出現する．深部感覚性運動失調を引き起こす主な疾患は，脊髄癆やフリードライヒ失調症，脊髄損傷や末梢神経障害などがある．また，深部感覚性運動失調は視

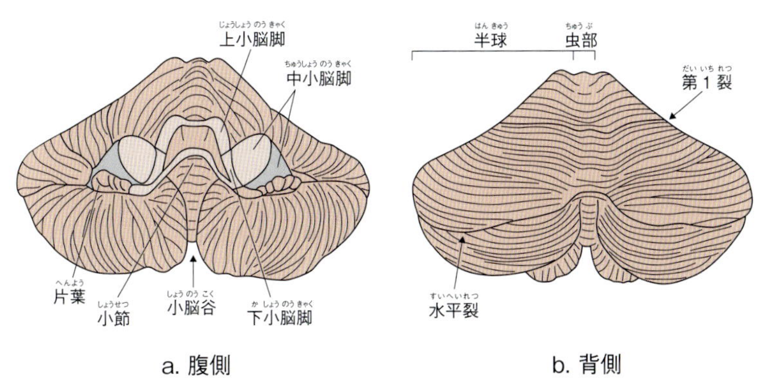

図2 小脳の前額面像（腹側・背側）（文献1）より引用）

覚による代償が可能なことが多い運動失調である.

3) 前庭迷路性運動失調

前庭迷路性運動失調は，前庭迷路の障害により姿勢に保持調節障害が生じ，四肢には運動失調が現れないのが特徴である．一般にめまいや眼振を伴い，平衡障害として障害側への姿勢傾斜・転倒，歩行障害として羅針盤歩行が出現する．前庭迷路性運動失調を引き起こす主な疾患は，前庭神経炎やメニエール病，聴神経腫瘍などがある.

これらの分類の診分け方として運動失調が認められた場合，深部感覚の評価によって，正常なら小脳性運動失調または前庭迷路性運動失調とし，感覚障害が認められ，かつロンベルク徴候が陽性な場合は深部感覚性運動失調とする方法がある．また，前庭迷路性運動失調は平衡障害が主な徴候なため，臥位などで四肢の運動失調が認められる場合は小脳性運動失調と判断する．深部感覚性運動失調の区分は，温痛覚の検査を行い，正常であれば脊髄性運動失調，感覚障害が認められれば末梢性運動失調と判断する（**図3**）．前述の分類のほかに前頭葉性運動失調を代表とする大脳性運動失調が存在するが，出現する徴候は小脳性運動失調と類似する．小脳性運動失調との大きな違いは，病巣とは反対側に運動失調が出るのが特徴である.

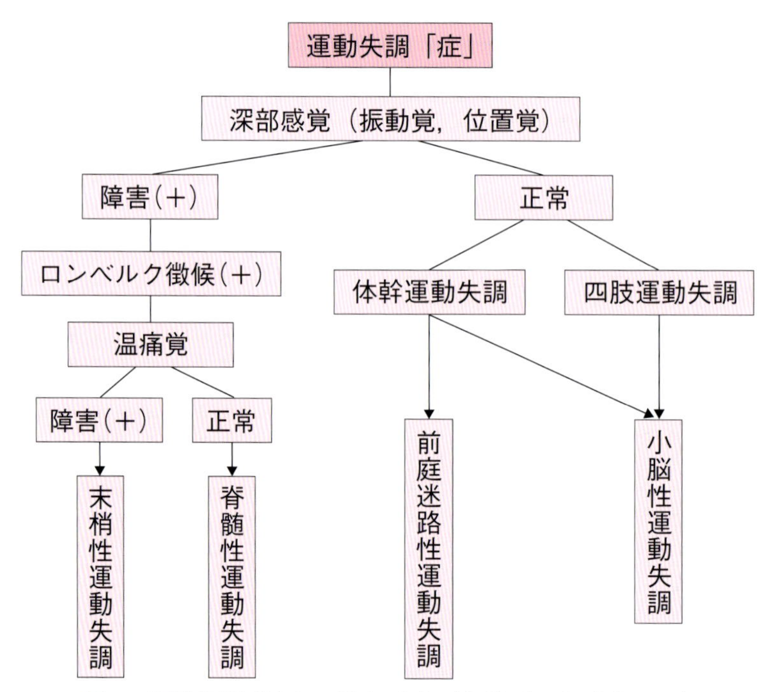

図3 運動失調「症」の診わけ方（文献2)より改変引用）

4 運動失調の代表的徴候

運動失調では，座位・立位保持時の動揺による姿勢保持の障害や歩行時に観察される wide base gait（歩隔の拡大）をはじめ，さまざまな運動失調徴候が認められる．

1）四肢の運動失調

a. 振戦

振戦（tremor）とは，運動時に四肢の軌道が揺れ，一定しない現象であり，目標に到達する前に揺れが激しくなる企図振戦（intention tremor）を示す．パーキンソン病が示す安静時振戦とは異なる徴候である．

b. 測定障害

測定障害（dysmetria）とは，随意運動を目的の位置で止めることができない共同収縮不能の一つで，目的の位置まで達しない測定過小（hypometria）と目的の位置を通りすぎてしまう測定過大（hypermetria）がある．

c. 運動分解

運動分解（decomposition of movement）とは，小脳性運動失調によくみられる現象で共同収縮不能の一つである．空間的配列が強く障害されるため運動に参加する筋を制御できず，動作や運動が分解される．例えば，腕を斜め前に前方挙上する場合，正常では直線的に斜め前方へ挙上可能であるが，運動分解が認められると前方挙上してから側方へ上肢を移動させるなど，2動作にて目的位置へ達する現象が認められる．

d. 反復拮抗運動不能

反復拮抗運動不能（dysdiadochokinesis）とは，一肢または体の一部の交代運動が正確にできない現象である．例えば，前腕の回内・回外の交代運動をさせるとリズムの乱れなどが観察されるのが代表的な徴候である．しかし，運動麻痺や深部覚障害，筋緊張異常によってもこれら徴候が認められるため注意する必要がある．

e. 時間測定障害

時間測定障害（dyschronometria）とは，運動を開始する時または停止する時に正常よりも時間的に遅れる現象で，運動興奮の遅れによるものといわれている．

2）構音障害

構音障害とは，発語が爆発性であったり，不明瞭または緩慢，ときには調子が急に変わったりといった特有の特徴を示す．このような構音障害を，断綴性発語，運動失調性発語，不明瞭発語などという．

3）眼振

眼振は，小脳疾患や前庭迷路障害で多く認められる．側方の1点を注視すると眼振が起こることを固視眼振という．基本は定方向性の眼振で両側注視ともに出現する．

4）筋緊張低下

筋緊張低下は，小脳性運動失調や脊髄性運動失調において多く認められる．

5）書字障害

書字障害とは，書字を行うと徐々に字が大きくなる現象などをいう．この現象を大字症といい，パーキンソン病などに認められる小字症とは逆の現象である．

5 協調性検査時の注意点

①事前に関節可動域や筋力検査を行い，その程度を調べておく．特に関節可動域に関しては，検査前にスクリーニングとして確認しておくこと（**付録参照**）．
②検査は，運動の大きさやスピードを変えて観察する必要がある．
③必要に応じて開眼時と閉眼時の差も観察する．
④四肢の運動失調検査の際には，その動作に関わる関節の運動方向や作用する筋・拮抗筋なども推察し，現象を引き起こしている筋を考察する．
⑤小脳性運動失調は易疲労性もよく認められるため，患者状態をよく観察しながら実施する．
⑥協調性検査は，基本動作を観察して運動失調による各徴候をみる定性的検査だが，検査によっては試行回数を設定し，その設定回数に要する時間や試行時のエラー回数などを計測し定量化に努める．

【文　献】

1）安井幸彦：中枢神経系．野村　嶬（編）：標準理学療法学・作業療法学 解剖学 第3版．医学書院，2010，p330
2）田崎義昭，他（著）：ベッドサイドの神経の診かた 改訂17版．南山堂，2010，p157

1 指指試験

I 意 義

指指試験（finger-finger test）は上肢の運動で，主に肩関節における一般的な運動失調を把握する検査である．

II 検査肢位

座位または背臥位．

III 検査方法

1 検者は，デモンストレーションとして両上肢を90°外転させた位置から肘関節を伸展したまま両示指を体の正中で合わせる動作の説明を行う．

2 開眼にて被検者に実施させて動作を観察し，続いて閉眼でも実施する．

IV 判定基準

1 企図振戦，運動分解，測定障害などが認められれば運動失調を疑う．

2 開眼と閉眼での差が大きい場合は，視覚での代償が強いことが予想される．

V 注意点

1 健常者でも体の正中で指が合わない時があるため，僅かな差などはあまり重視しない．検査の終了肢位のみならず，動作中の企図振戦や運動分解，測定障害も含めて観察を行う．

座　位

検査場面①

検査場面②

検査場面③

ポイント

・開眼での検査に続き，閉眼でも検査を行う．

2 指鼻試験 

I 意 義

指鼻試験（finger－nose test）は上肢の運動で，主に肘関節の屈曲・伸展動作における一般的な運動失調を把握する検査である．

II 検査肢位

座位または背臥位．

III 検査方法

1 検者は，デモンストレーションとして検査肢を軽度外転させた位置から示指で自分の鼻を触り，また元の位置へ戻す動作の説明を行う．
2 開眼にて被検者に実施させて動作を観察し，続いて閉眼でも実施する．
3 動作を急がせたり，ゆっくり行ったり，動作スピードを変化させて観察する．

IV 判定基準

1 企図振戦，運動分解，測定障害などが認められれば，運動失調を疑う．
2 開眼と閉眼での差が大きい場合は，視覚での代償が強いことが予想される．

V 注意点

1 運動失調が強く，目に触れてしまう場合には他の検査で代用する．
2 必ず左右で実施し，左右差を確認する．

V *Advance*

・試行回数を10回とし，最大限に素早く動作させた時に要した時間や目的部位に到達しなかった回数などを記録することで，左右差の比較や経時的変化が捉えやすい．
・体幹の失調が疑われる場合，通常の検査と体幹を固定した状態（背臥位もしくは，背もたれ付きの椅子や壁によりかかるなど）での検査を比較することで，体幹失調の影響をみることが可能である．

座　位

検査場面①

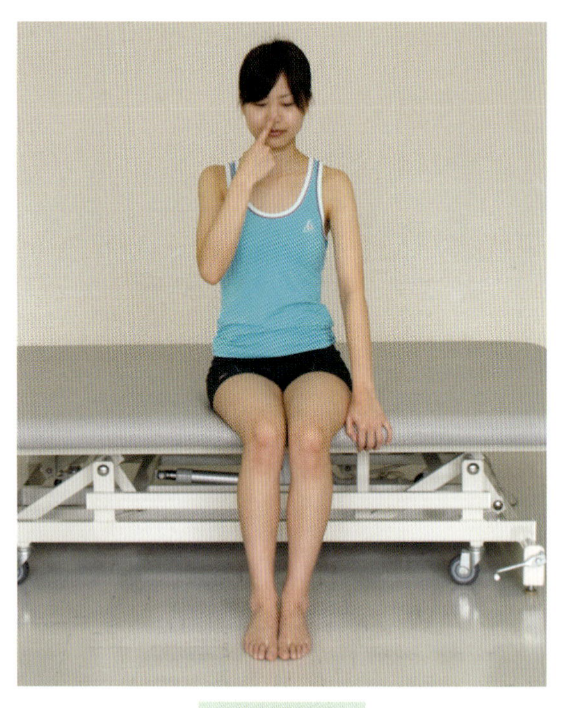

検査場面②

検査場面③

ポイント

・指が目に触れないように注意する．

背臥位（体幹を固定した検査）

検査場面①

検査場面②

検査場面③

ポイント

・座位での検査と比較することで，体幹失調の影響をみることができる．

運動失調の一例

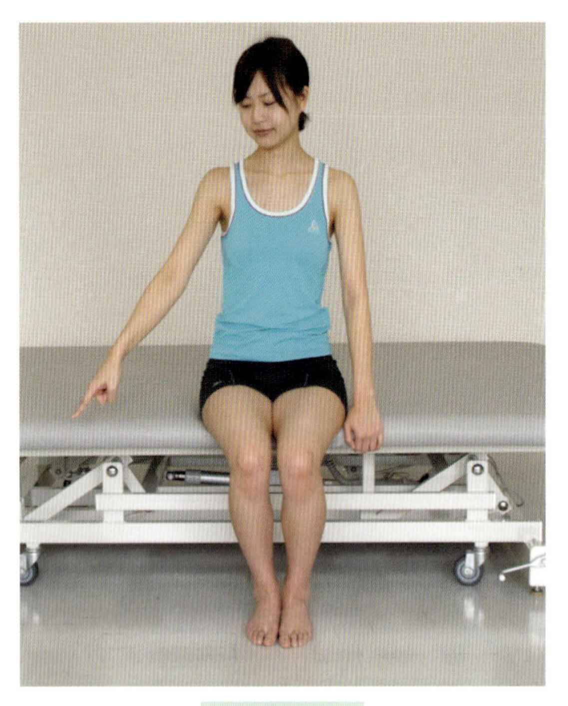

検査場面①

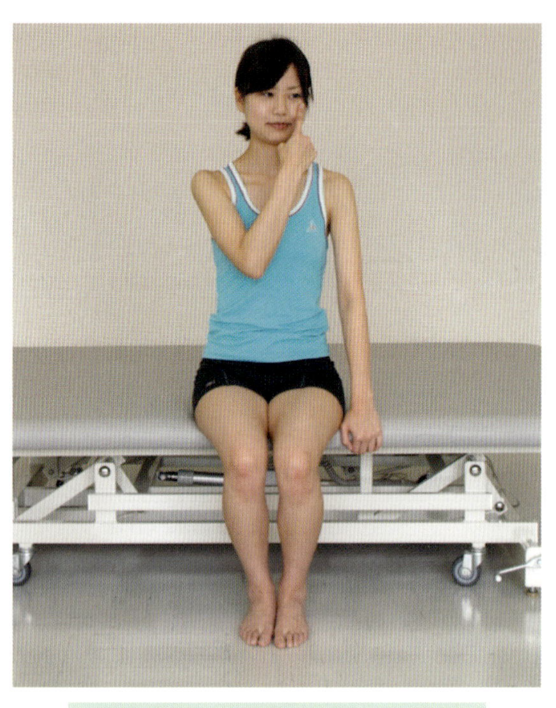

検査場面②（示指の左側への偏倚）

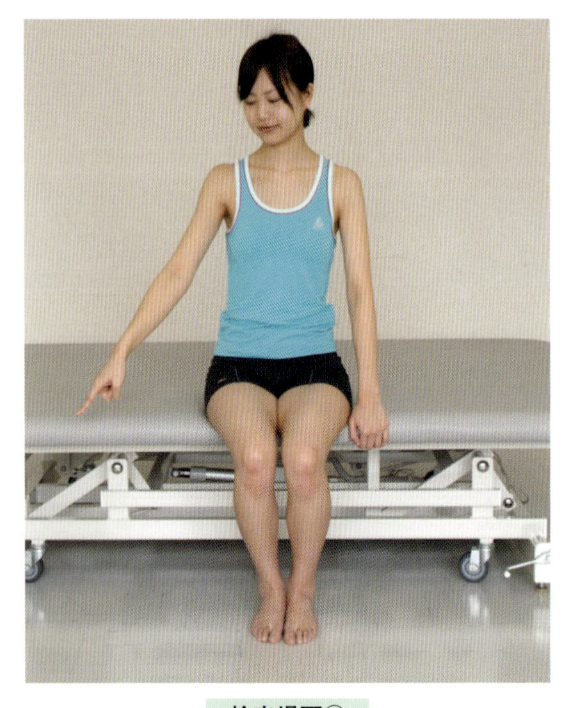

検査場面③

ポイント

・指が目に触れないように注意する.

3 鼻指鼻試験

Ⅰ 意　義

鼻指鼻試験（nose-finger-nose test）は，指鼻試験よりもさらに自由度の高い運動を行い，上肢の一般的な運動失調を把握する検査である．

Ⅱ 検査肢位

座位または背臥位．

Ⅲ 検査方法

1 検者は，デモンストレーションとして被検者に検査肢の示指で鼻を触った位置から検者の指を触ってもらい，また鼻まで戻る動作の説明を行う．

2 開眼にて被検者に実施させる．この時，検者は被検者の腕の届く範囲にてランダムに指を移動させ，その動作を観察する．

3 動作を急がせたり，ゆっくり行ったり，動作スピードを変化させて観察する．

Ⅳ 判定基準

1 企図振戦，運動分解，測定障害などが認められれば，運動失調を疑う．

Ⅴ 注意点

1 運動失調が強く，目に触れてしまう場合には他の検査で代用する．

2 必ず左右で実施し，左右差を確認する．

3 この検査は閉眼では実施できないので注意する．

Ⅵ *Advance*

・検者の指がランダムに動くため，試行回数中の秒数などで定量化することは困難であるが，被検者の鼻や検者の指からそれた回数などで定量化し，左右の比較をする．

・体幹の失調が疑われる場合，通常の検査と体幹を固定した状態（背臥位もしくは，背もたれ付きの椅子や壁によりかかるなど）での検査を比較することで，体幹失調の影響をみることが可能である．

座　位

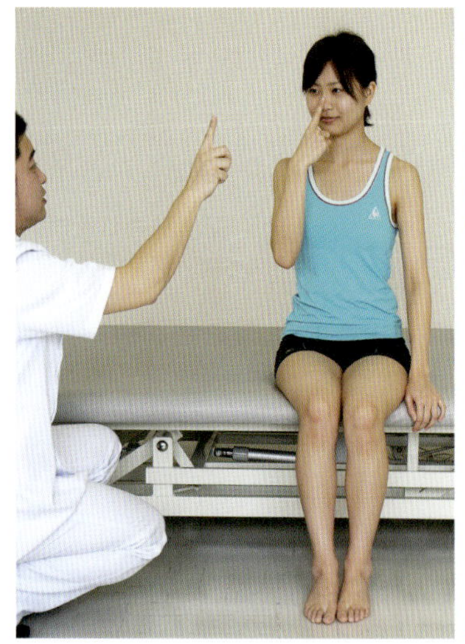

検査場面①

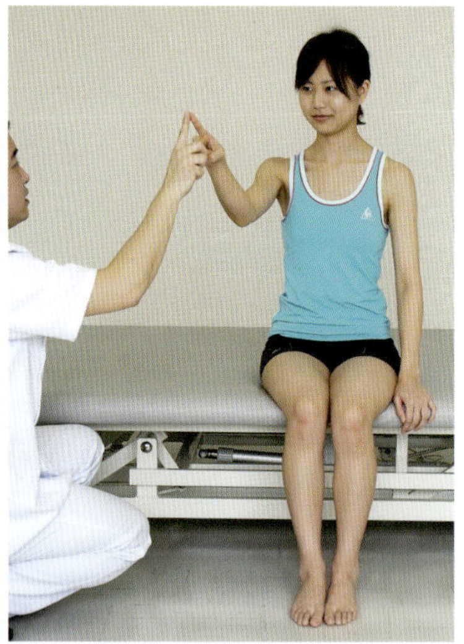

検査場面②

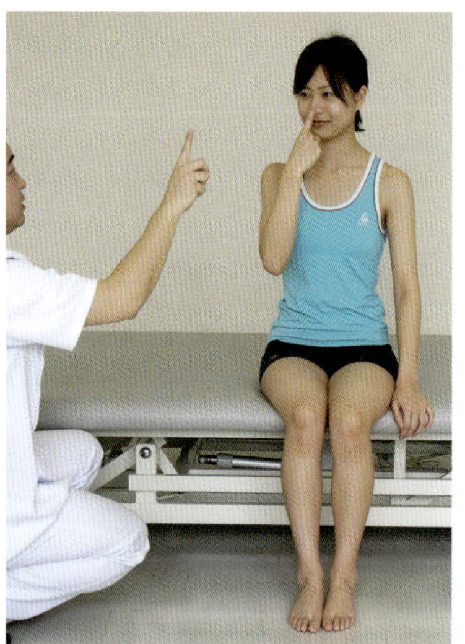

検査場面③

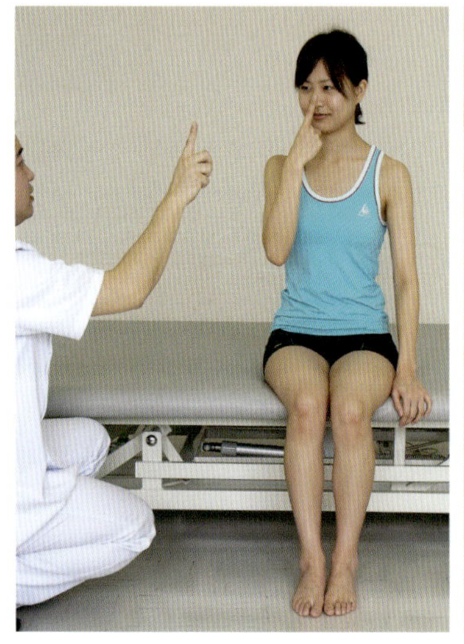

検査場面④

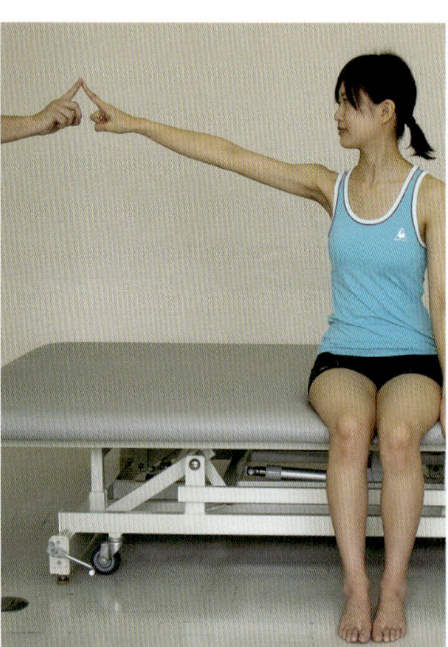

検査場面⑤

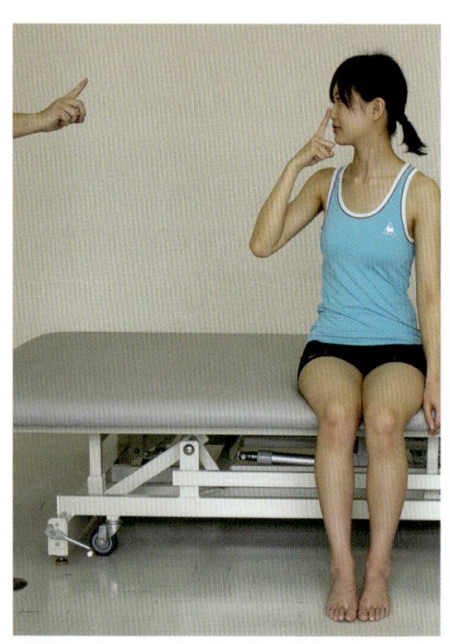

検査場面⑥

ポイント

・指が目に触れないように注意する.

4 膝打ち試験

Ⅰ 意 義

膝打ち試験（knee pat test）は上肢の運動で，主に前腕の回内・回外動作における一般的な運動失調を把握する検査である．

Ⅱ 検査肢位

座位．

Ⅲ 検査方法

1 検者は，デモンストレーションとして一側の手掌で同側の膝を叩き，前腕を回外して手背で膝を叩く動作を素早く繰り返す動作の説明を行う．

2 被検者に実施させて動作の観察を行う．対側でも実施させて動作の観察を行う．

3 最後に両側で同時に実施する．その際，最初はゆっくり行い徐々に速度を上げ，動作の左右差を観察する．

Ⅳ 判定基準

1 交代運動中のリズムの崩れや企図振戦，運動分解，測定障害などが認められれば運動失調を疑う．

Ⅴ 注意点

1 この検査は「8．手回内・回外検査」と類似しているが，検査としては一般的な運動失調検査に分類される．

座位（一側）

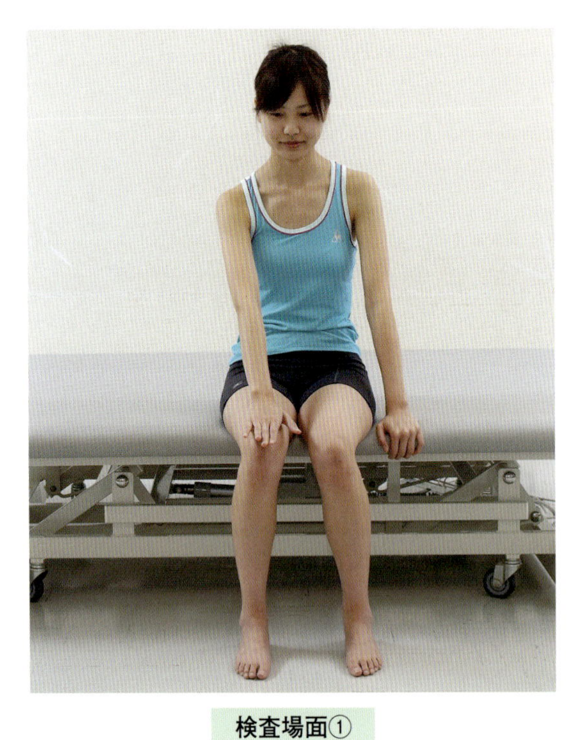

検査場面①

検査場面②

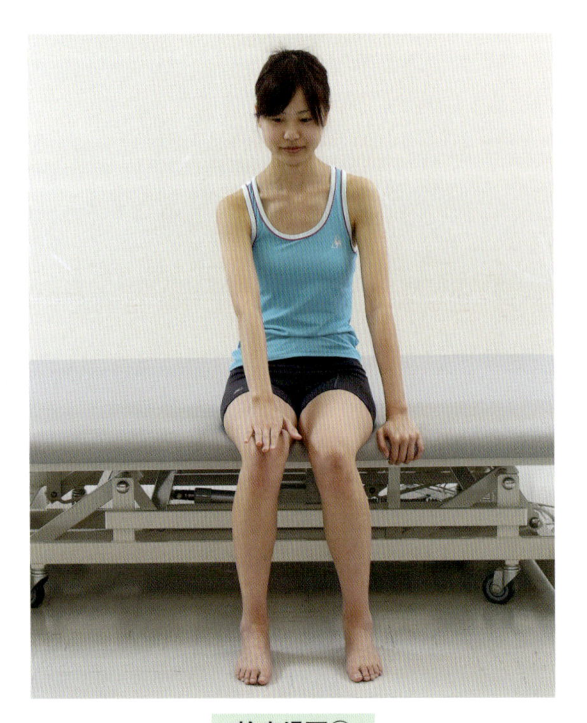

検査場面③

ポイント

・一側での検査に続き，両側同時の検査も行う．

運動失調の一例

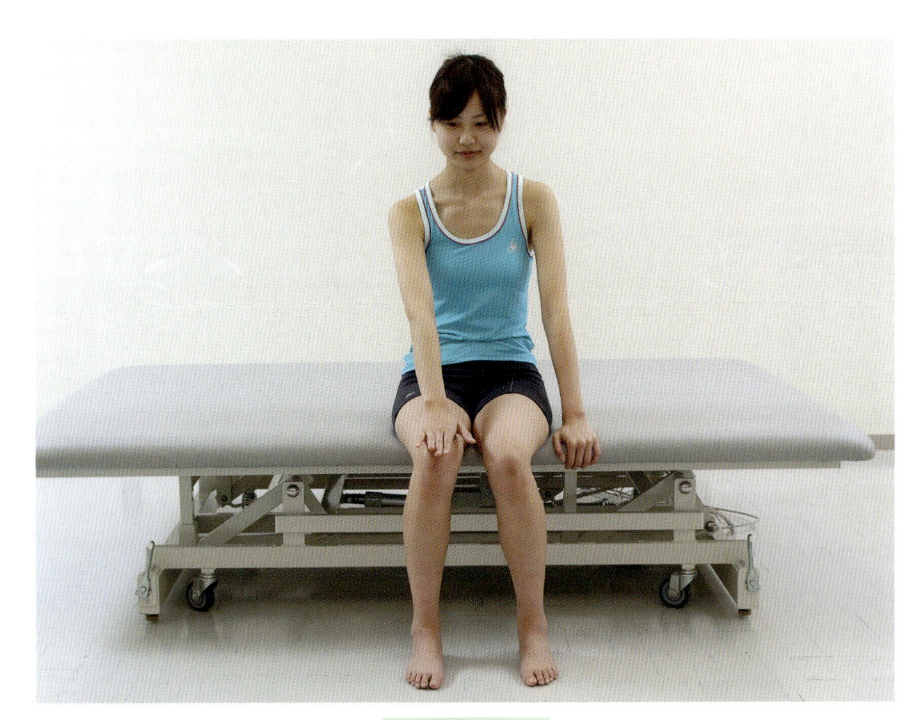

検査場面①

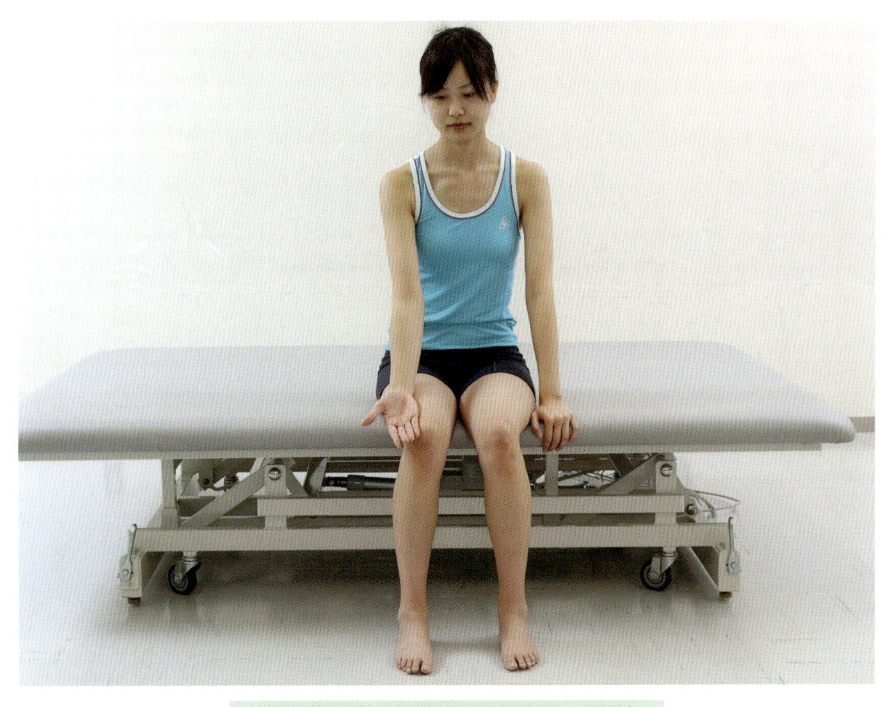

検査場面②（回外時に膝外側へ偏倚）

5 過回内試験 

I 意 義

過回内試験（hyperpronation test）は，前腕の回内動作における測定障害を把握する検査である．

II 検査肢位

座位．

III 検査方法

1 検者は，デモンストレーションとして両肩関節を 90° 屈曲位とし，両側の手掌を上に向けた位置から手掌が床と並行になるように，前腕を回内して手掌を下へ向ける動作の説明を行う．

2 開眼にて被検者に実施させて動作を観察し，続いて閉眼でも実施する．

IV 判定基準

1 対側と比較し，前腕の回内動作が過度に行われる場合は測定過大を疑う．

2 検査本来の解釈にはないが，前腕の回内が不十分だった場合は測定過小の存在も疑う．

3 開眼と閉眼での差が大きい場合は，視覚による代償が強いことが予想される．

座　位

検査場面①

検査場面②

ポイント

・前腕の回内動作は最大速度で行わせる.

測定障害の一例

検査場面①

検査場面②（右前腕の回内動作の測定過大）

6 arm stopping test

I 意　義

arm stopping test は，上肢の運動における測定障害を把握する検査である．

II 検査肢位

座位．

III 検査方法

1 検者は，デモンストレーションとして検査肢を斜め上方に外転させた位置から自分の耳朶を触る動作の説明を行う．

2 被検者に実施させて動作の観察を行う．

IV 判定基準

1 耳朶を触れずに通り過ぎたり，耳朶の手前で停止した場合は，測定障害を疑う．

V 注意点

1 視覚で追うことが困難な検査なため，他の失調検査の閉眼時と同じ意味合いをもつ検査である．

2 小脳疾患では，肘関節を屈曲する段階までは比較的に正確な動作が可能であるが，そこから耳朶までいく段階において測定障害を示すことが多い．

3 必ず左右で実施し，左右差を確認する．

座　位

検査場面①

検査場面②

検査場面③

ポイント

・指はみないように正面を向かせて実施する.

7 線引き試験

Ⅰ 意　義

線引き試験（line drawing test）は，線引き動作を用いて上肢の測定障害を把握する検査である．

Ⅱ 検査肢位

座位．

Ⅲ 検査方法

1 約 10 cm 離した 2 本の平行線を引いた紙を用意する．
2 被検者にペンを持たせ，この線の間に直交する横線を左から右に引くように説明し実施する．

Ⅳ 判定基準

1 横線の揺れが認められれば，運動失調を疑う．右側の線を通り越すようであれば測定過大，右側の線に到達しない場合は測定過小を疑う．

測定障害の一例（文献 1）より引用）

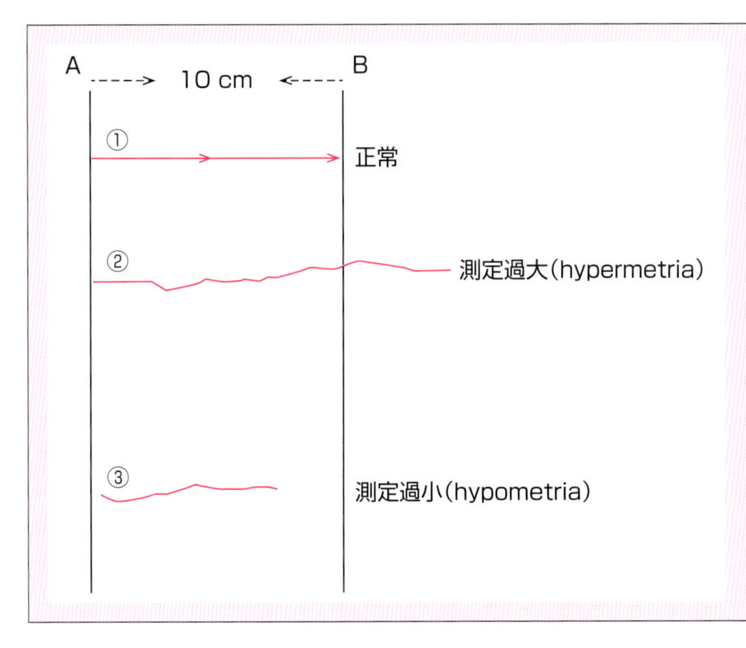

約 10 cm 離した A と B の 2 本の平行な縦線に直交するように横線を引かせる（A→B に向けて行う）．小脳障害では②と③になり，真っ直ぐに引けずに B を通り越したり，手前で止まったりする

【文　献】

1）田崎義昭，他：ベッドサイドの神経の診かた 改訂 17 版．南山堂，2010，p150

8 手回内・回外検査

I 意 義

手回内・回外検査（hand pronation supination test）は上肢の運動で，主に前腕の回内・回外動作おける反復拮抗運動不能を把握する検査である．

II 検査肢位

座位．

III 検査方法

1 検者は，デモンストレーションとして一側の肩関節 90° 屈曲位，手関節 90° 背屈位にて，前腕の回外・回内動作を最大速度で繰り返す動作の説明を行う．

2 開眼にて被検者に実施させて動作を観察し，続いて対側でも実施する．

3 両側を同時に実施し，左右の同時施行での差を観察する．

4 2 から 3 までの動作を閉眼にて実施する．

IV 判定基準

1 交代運動中のリズムの崩れなどが認められれば，反復拮抗運動不能を疑う．開眼と閉眼での差が大きい場合は，視覚による代償が強いことが予想される．

V 注意点

1 健常者でも利き手と非利き手で差が認められるので，わずかな緩慢差などはあまり重視しない．

2 左右別々に実施した際の比較と，両側による同時実施の比較を必ず行う．

VI *Advance*

・検査を肘関節屈曲位で行い，肘関節伸展位での検査と比較することで，反復拮抗運動不能が前腕回内外動作の問題なのか，肩甲帯や肩関節が影響しているのかを考察することが可能である．

座位（肘関節伸展位）

検査場面①

検査場面②

検査場面③

ポイント

・反復拮抗運動不能に肩甲帯や肩関節が影響していないか確認する.

座位（肘関節屈曲位）

検査場面①

検査場面②

検査場面③

ポイント

・肘関節伸展位での検査と比較することで，肩甲帯や肩関節の影響をみることができる.

9 finger wiggle 

I 意 義

finger wiggle は，手指動作における反復拮抗運動不能を把握する検査である．

II 検査肢位

座位．

III 検査方法

1 検者は，デモンストレーションとして検査肢の手を机の上に置き，母指から順に小指まで鍵盤を叩くように手指関節屈曲を素早く最大速度で繰り返す動作の説明を行う．

2 被検者に実施させて動作の観察を行う．

IV 判定基準

1 運動中のリズムの崩れや動作の緩慢さが認められれば，反復拮抗運動不能を疑う．

2 特に小脳障害では極端に動作緩慢となる．

座　位

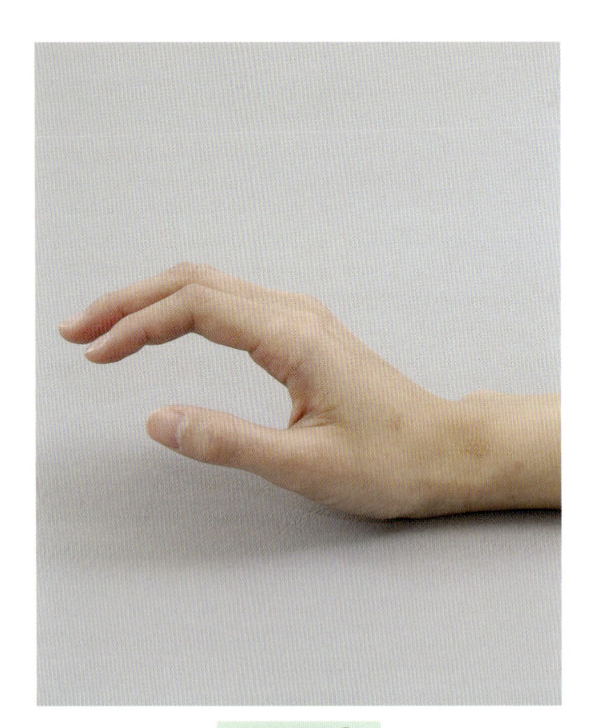

検査場面①

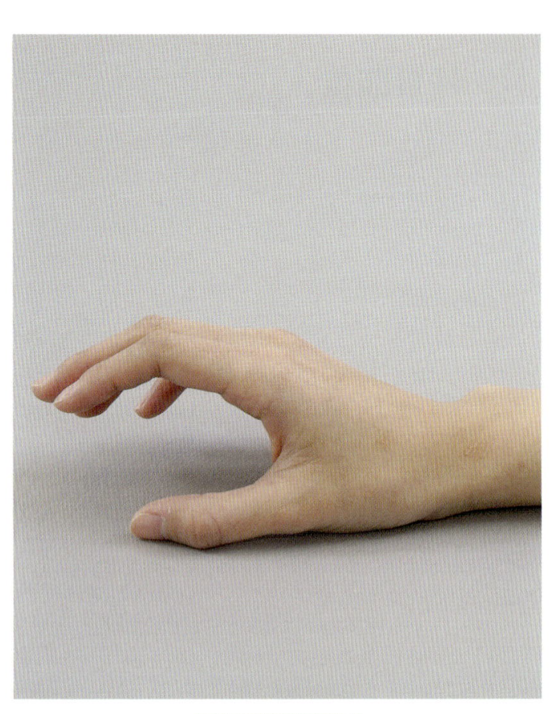

検査場面②

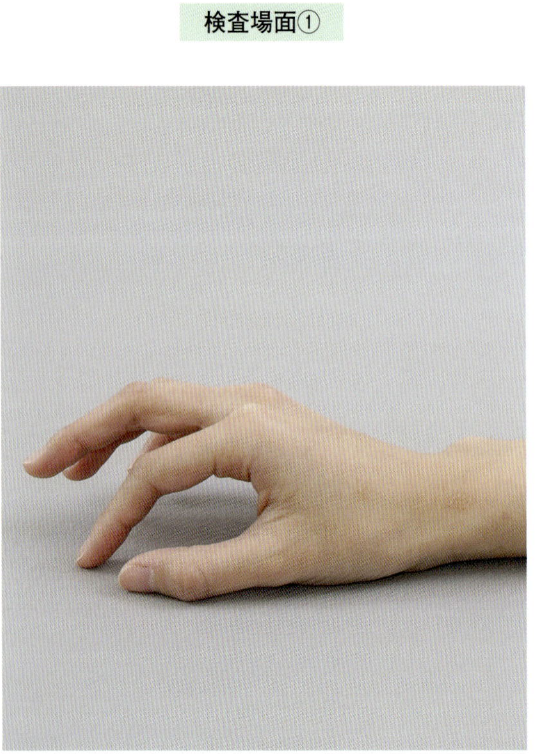

検査場面③

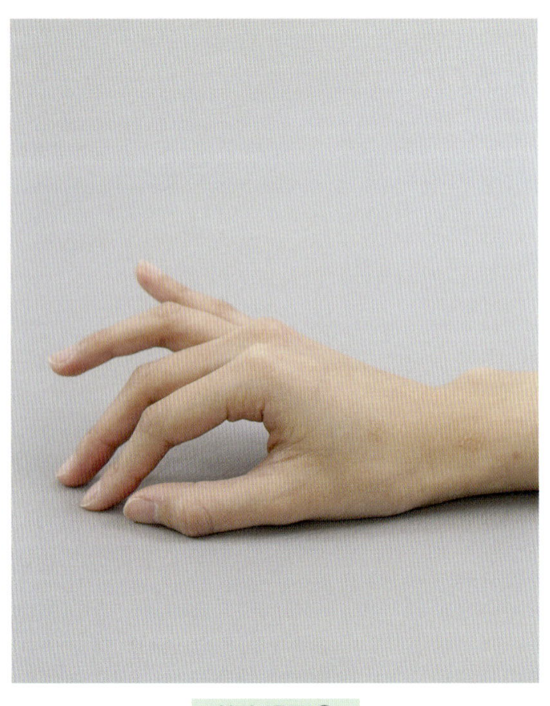

検査場面④

10 腕叩打試験

I 意　義

腕叩打試験（arm tapping test）は，上肢における無意識下での肢位の保持（postural fixation）の異常を把握する検査である．

II 検査肢位

立位．

III 検査方法

1 検者は，被検者に両手掌を下に向けた肩関節 90°屈曲位をとらせ，この位置を保持するように説明をする．

2 1の肢位を保持したまま閉眼させ，検者は被検者の手首に対して直角下方の力を急激に加え，動作を観察する．

IV 判定基準

1 急激に力を加えた際，上下に動揺が認められ，揺れながら元の位置に戻った場合を陽性とし，postural fixation の異常を疑う．

V 注意点

1 麻痺や筋力低下がないにもかかわらず，急激な力を加える前に両上肢の高さに違いがある場合も陽性とする．

立　位

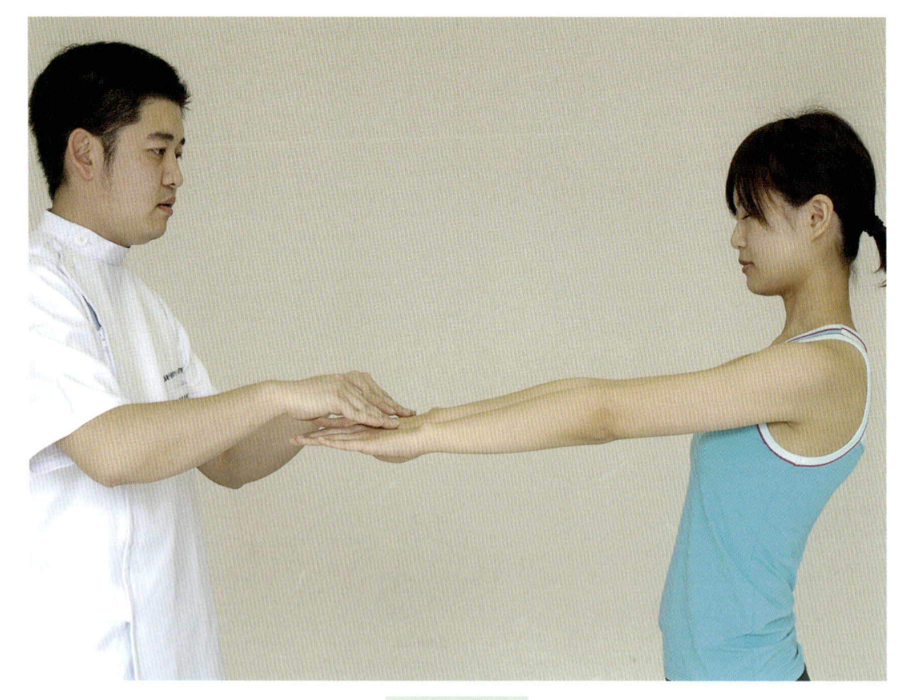

検査場面

postural fixation の異常の一例

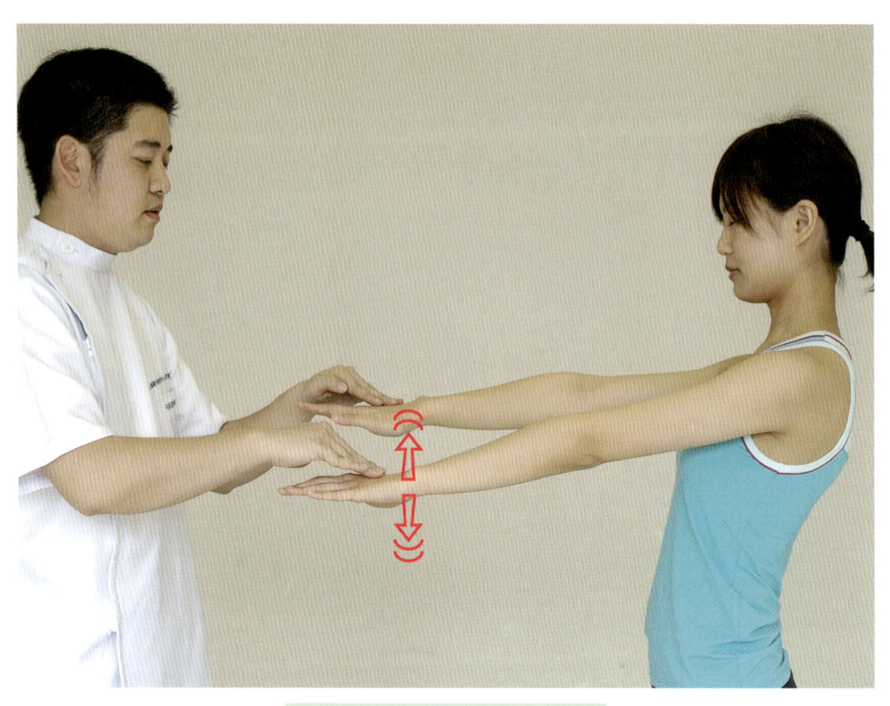

検査場面（左上肢の動揺）

11 足趾手指試験

I 意 義

足趾手指試験（toe-finger test）は，下肢の一般的な運動失調を把握する検査である．

II 検査肢位

背臥位，長座位または端座位．

III 検査方法

1 被検者に背臥位をとらせ，検者は被検者の足元に位置する．
2 被検者の一側母趾を検者の任意に位置させた示指に触れるよう説明を行い実施する．
3 検者の示指に被検者の母趾が触れたら，示指を素早く15～45 cmほど移動させ，再び母趾で触れるように指示し実施する．
4 2から3の動作を開眼にて繰り返し実施し，下肢運動を観察する．
5 動作を急がせたり，ゆっくり行ったり，動作スピードを変化させて観察する．

IV 判定基準

1 企図振戦，運動分解，測定障害などが認められれば，運動失調を疑う．

V 注意点

1 検者の示指の位置は，被検者の膝関節が屈曲して触れる位置にする．
2 必ず左右で実施し，左右差を確認する．
3 この検査は閉眼では実施できないので注意する．

VI *Advance*

・検者の指がランダムに動くため，試行回数中の秒数などで定量化することは困難であるが，検者の示指からそれた回数などで定量化し，左右も比較をする．
・この検査は基本的に背臥位で行われるが，長座位や端座位にて行った検査と比較することで，体幹失調の影響をみることが可能である．

背臥位

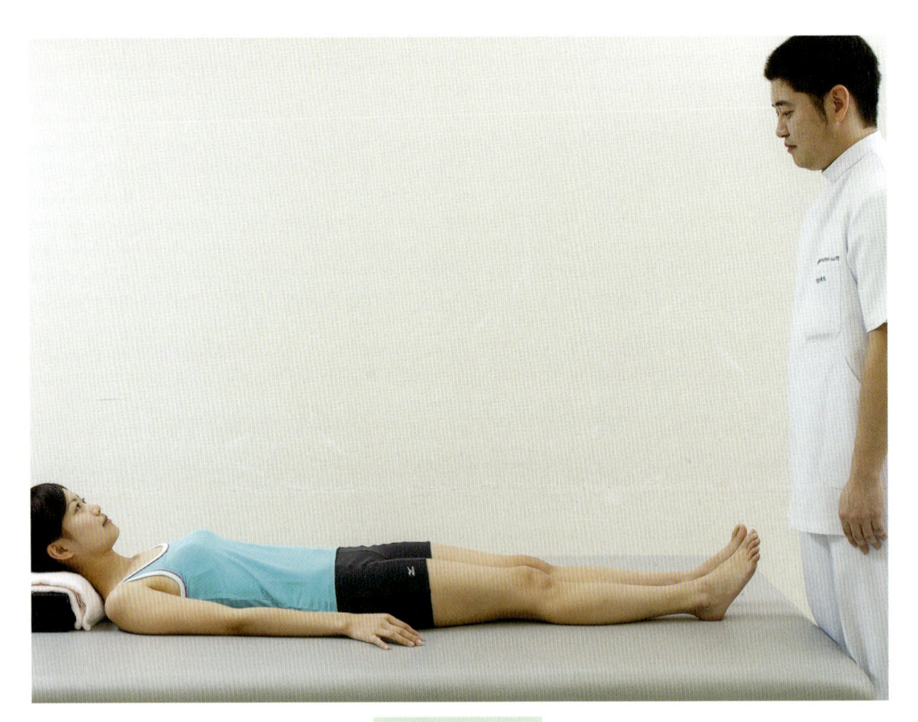

検査場面①

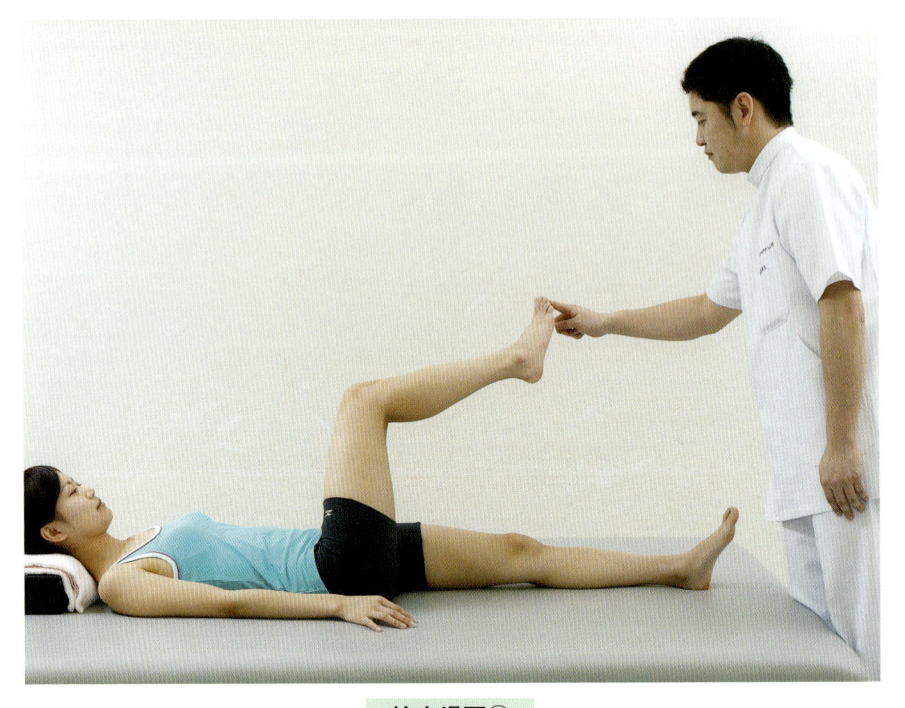

検査場面②

検査場面③

長座位での検査場面

検査場面①

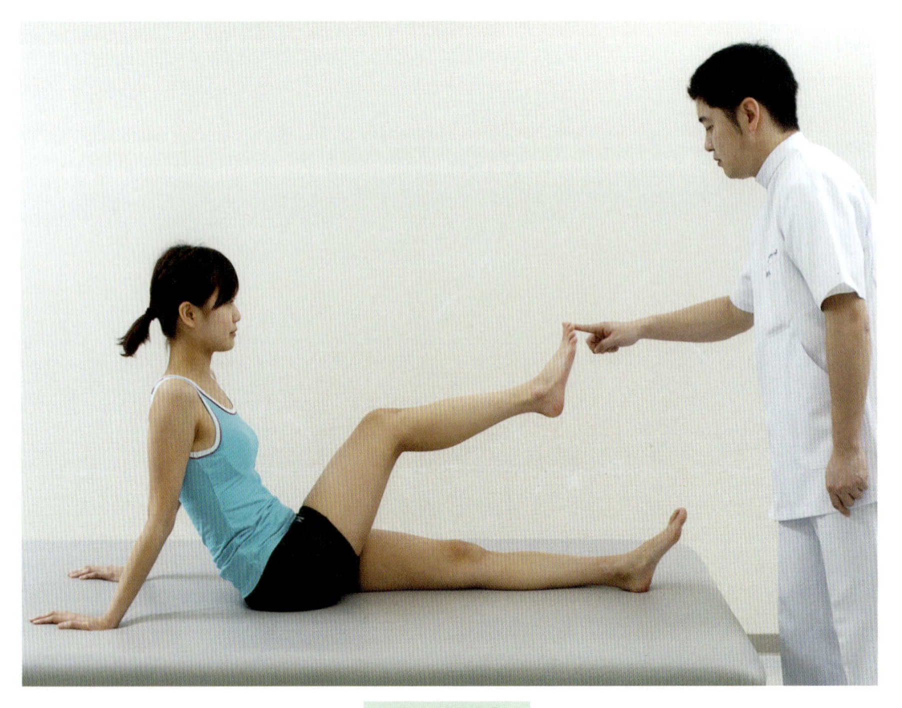

検査場面②

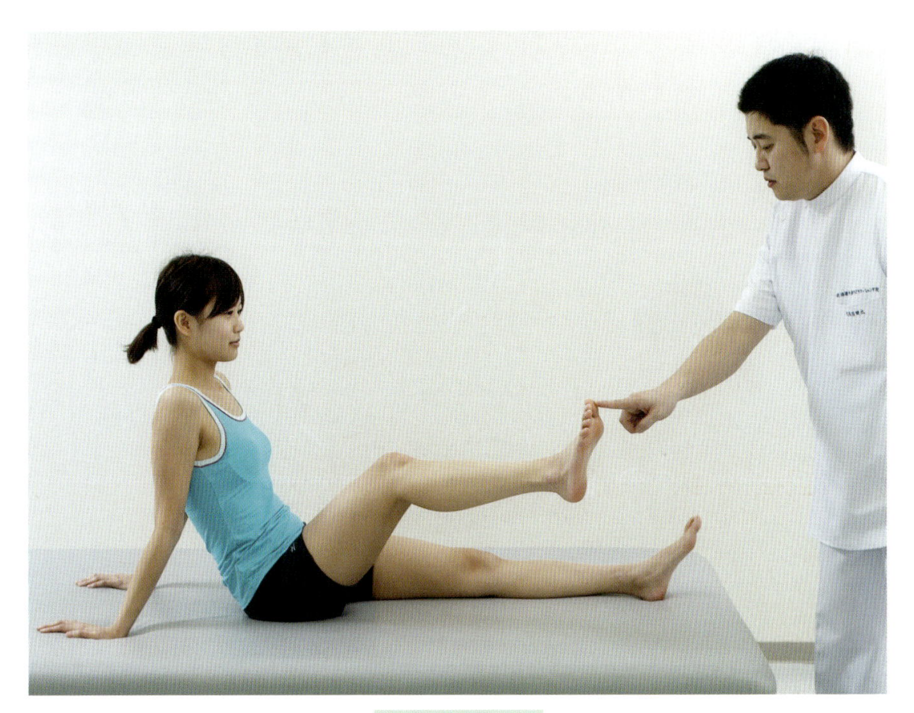

検査場面③

ポイント

・背臥位での検査と比較することで，体幹失調の影響をみることができる．

測定障害の一例①

検査場面①

検査場面②（測定過小）

測定障害の一例②

検査場面①

検査場面②（測定過大）

12 膝踵試験

Ⅰ 意　義

膝踵試験（heel-knee test）は，下肢の一般的な運動失調を把握する検査である．

Ⅱ 検査肢位

背臥位．

Ⅲ 検査方法

1 被検者に背臥位をとらせ，一側の踵で対側の膝に触れ元の位置へ戻すように説明を行う．
2 被検者に 1 の動作を数回実施させて下肢の動作を観察し，対側でも同様に実施する．

Ⅳ 別法（heel-shin test）

1 被検者を背臥位にし，一側の踵で対側の膝に触れさせる．
2 膝に触れた踵をすねに沿うように足首まで下降させ，元の位置へ戻す動作の説明を行う．
3 被検者に 1 から 2 の動作を数回実施させて下肢の動作を観察し，対側でも実施する．

Ⅴ 判定基準

1 企図振戦，運動分解，測定障害などが認められれば，運動失調を疑う．

Ⅵ 注意点

1 必ず左右で実施し，左右差を確認する．
2 この検査は背臥位で行うため，視覚による代償がない状態で行うのが基本である．
3 開眼時と閉眼時の差を検証する際は，長座位など肢位を工夫する必要がある．

Ⅶ *Advance*

・試行回数を 10 回とし，最大限に素早く動作させた時に要した時間や目的部位に到達しなかった回数などを記録することで，左右差の比較や経時的変化が捉えやすい．
・この検査は背臥位で行われるが，長座位にて行った検査と比較することで，体幹失調の影響をみることが可能である．

背臥位（heel-knee test）

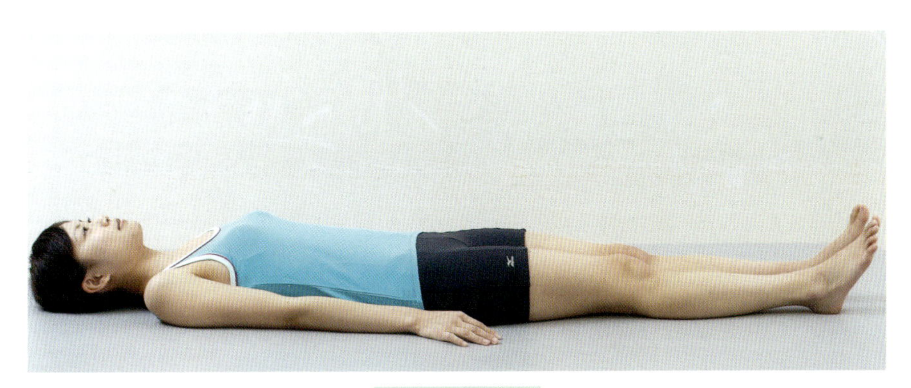

検査場面①

検査場面②

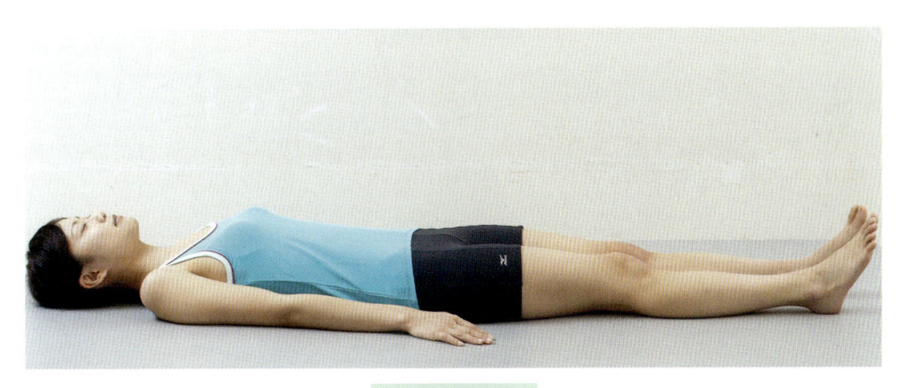

検査場面③

ポイント

・視覚の代償の影響をみる時は長座位で行う.

背臥位（別法：heel-shin test）

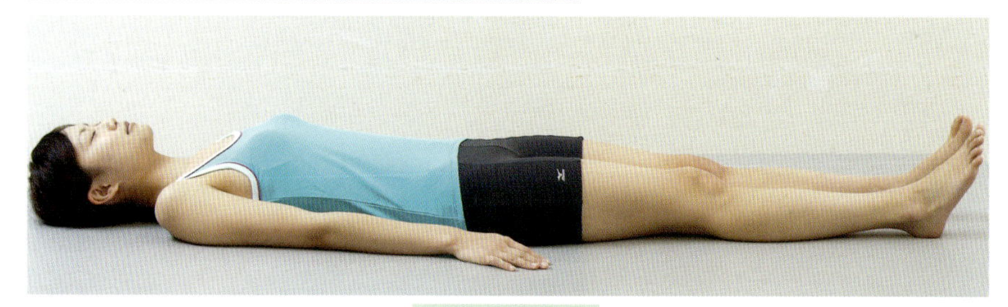

検査場面①

検査場面②

検査場面③

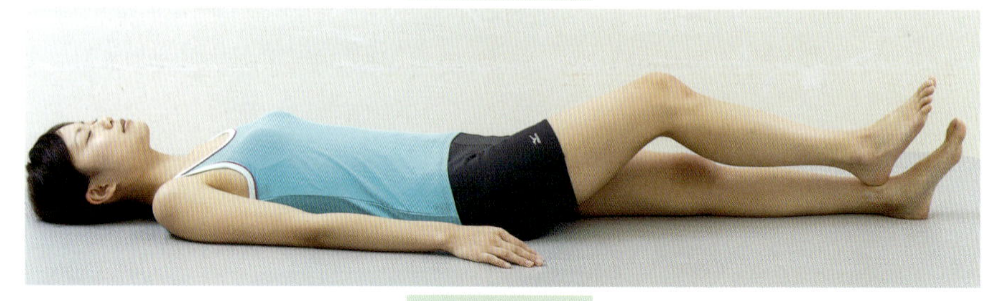

検査場面④

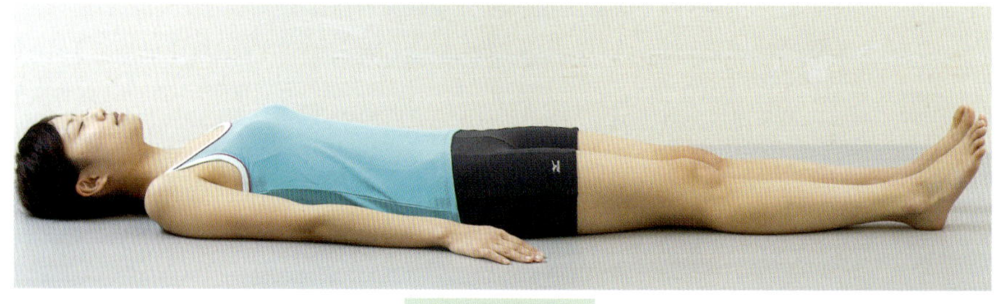

検査場面⑤

運動失調の一例①（heel-knee test）

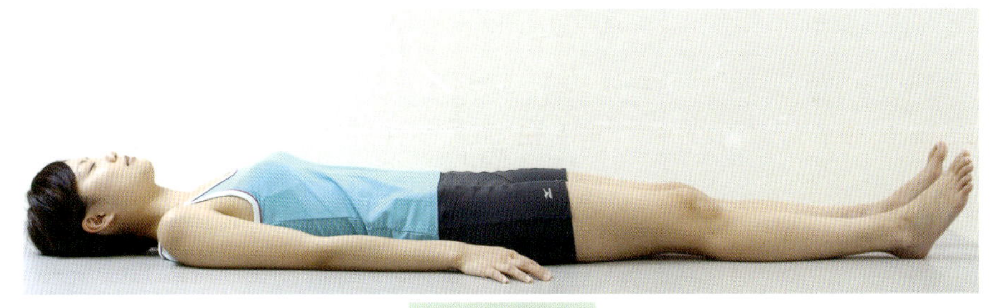

検査場面①

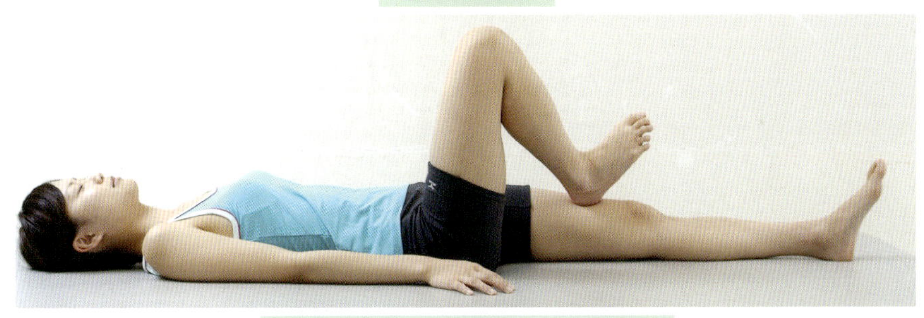

検査場面②（右踵部の上方偏倚）

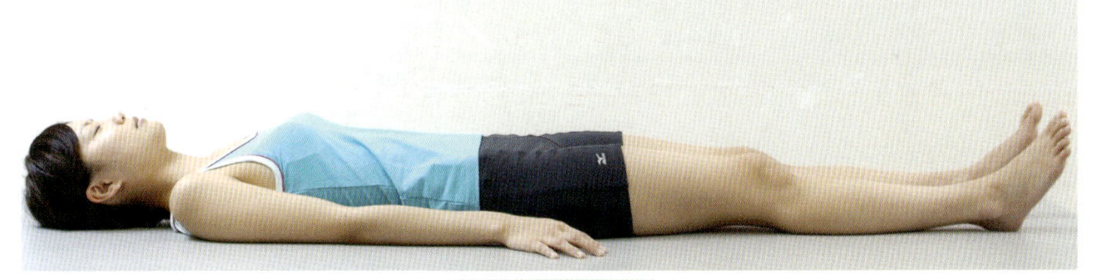

検査場面③

検査場面④（右踵部の下方偏倚）

検査場面⑤

運動失調の一例②（別法：heel-shin test）

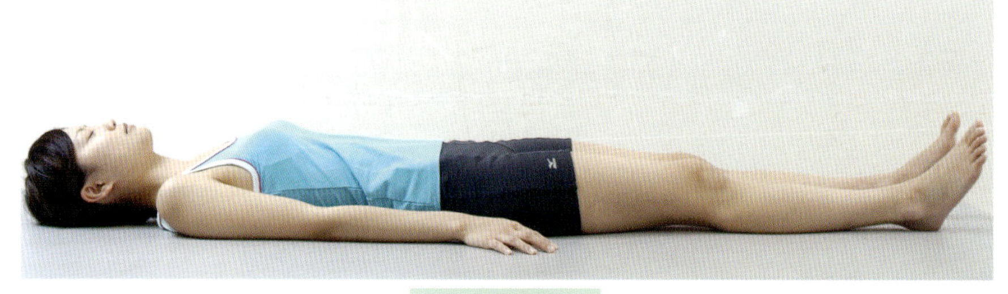

検査場面①

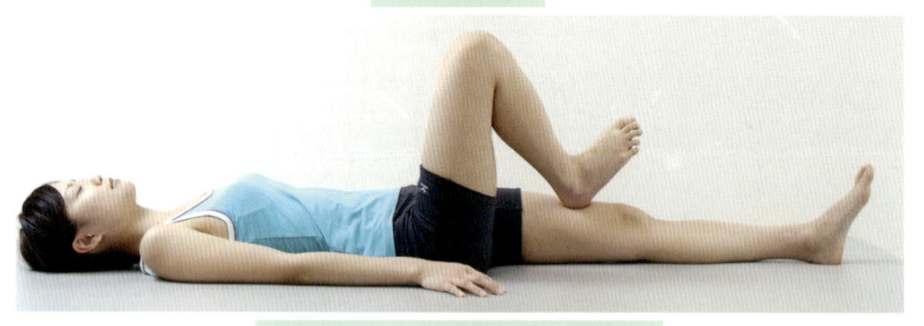

検査場面②（右踵部の上方偏倚）

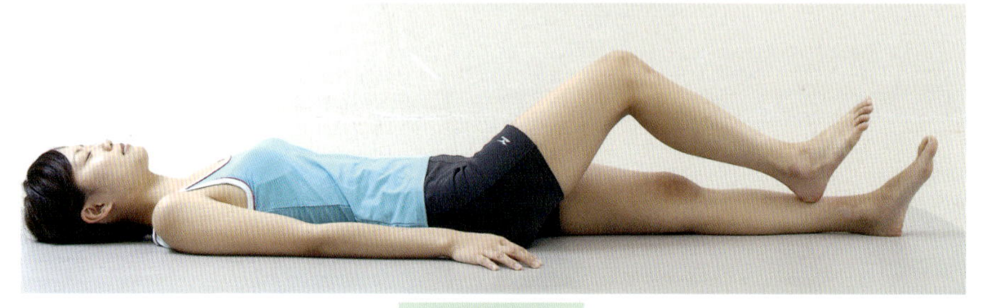

検査場面③

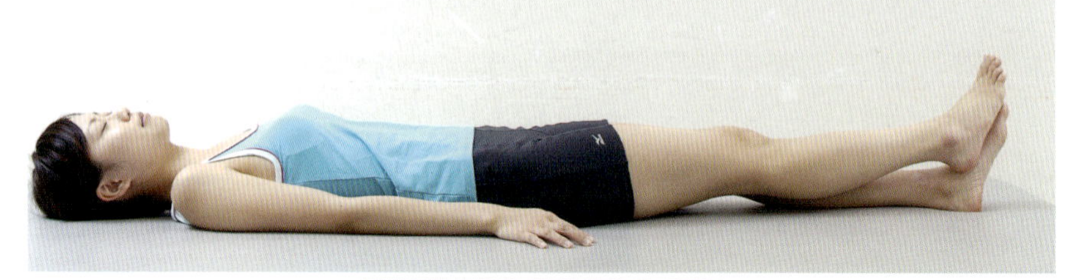

検査場面④（測定過大）

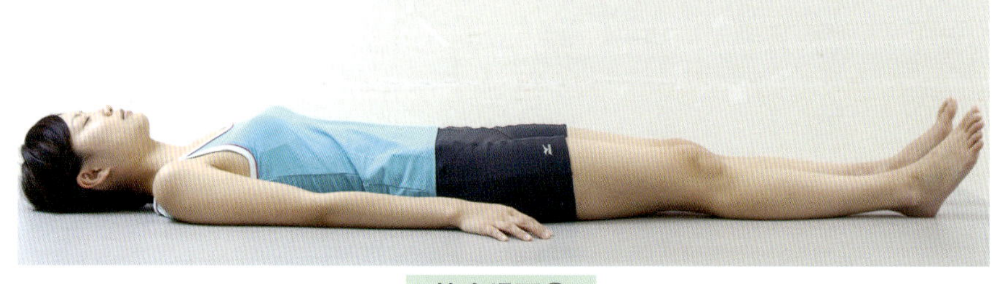

検査場面⑤

13 向こう脛叩打試験 

I 意　義

向こう脛叩打試験（shin-tapping test）は，膝踵試験が理解できない被検者に代用として使うこともある検査で，下肢の一般的な運動失調を把握する検査である．

II 検査肢位

背臥位または長座位．

III 検査方法

1 被検者を背臥位にし，一側の踵を対側の向こう脛から 10 cm ぐらいの高さに保持させる．
2 持ち上げている踵にて，対側の膝蓋骨より 5 cm 程下方の位置を叩かせる．
3 被検者に 1 から 2 の動作を数回実施させて下肢の動作を観察し，対側でも実施する．

IV 判定基準

1 企図振戦，運動分解，測定障害などが認められれば，運動失調を疑う．

V 注意点

1 必ず左右で実施し，左右差を確認する．
2 この検査は背臥位で行うため，視覚による代償がない状態で行うのが基本である．
3 開眼時と閉眼時の差を検証する際は，長座位など肢位を工夫する必要がある．
4 測定過大が大きい時は，踵で向こう脛を強く叩いてしまうため，接触面を検者の手で保護するなど，工夫する必要がある．

VI *Advance*

・試行回数を 10 回とし，最大限に素早く動作させた時に要した時間や目的部位に到達しなかった回数などを記録することで，左右差の比較や経時的変化が捉えやすい．
・この検査は背臥位で行われるが，長座位にて行った検査と比較することで，体幹失調の影響をみることが可能である．

背臥位

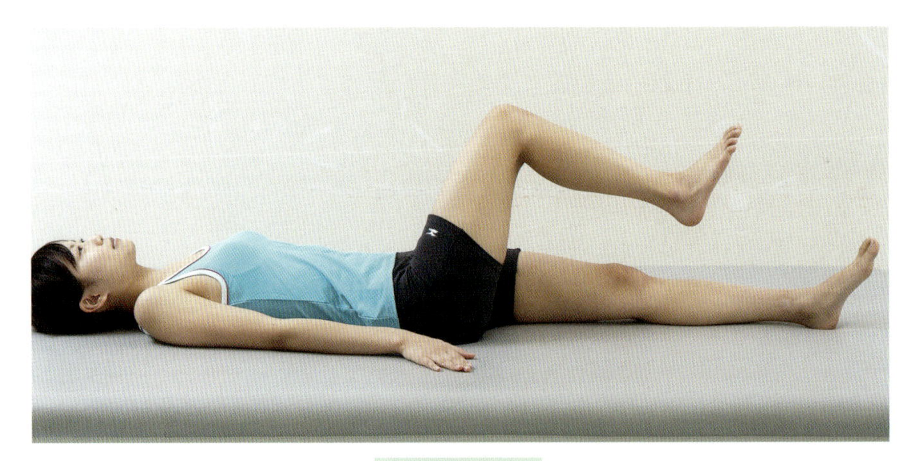

検査場面①

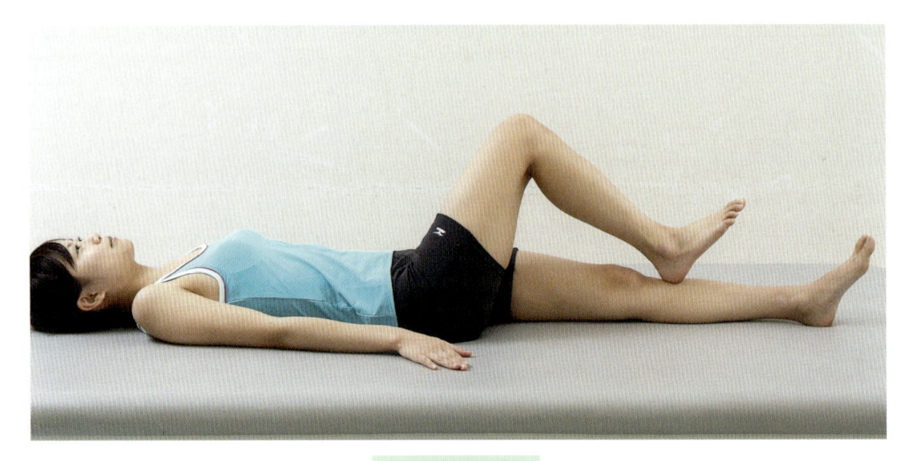

検査場面②

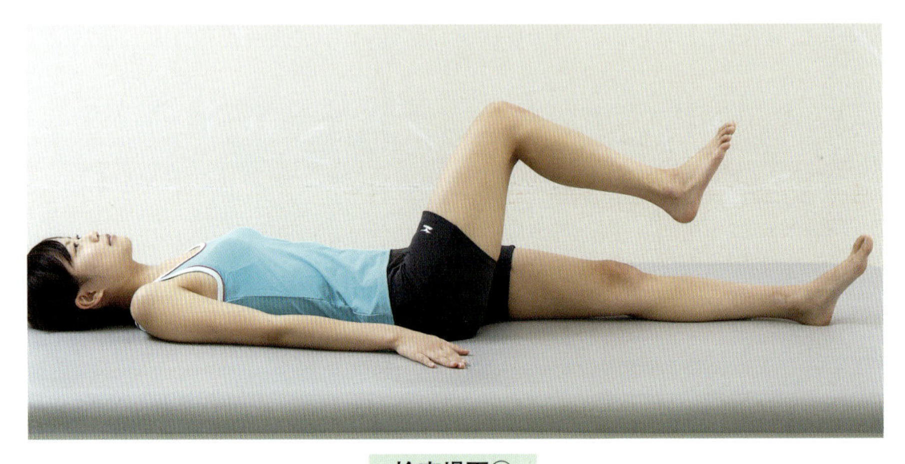

検査場面③

長座位

検査場面①

検査場面②

検査場面③

ポイント

・背臥位と比較することで体幹失調の影響をみることができる.

14 foot pat

Ⅰ 意　義

foot pat は，足関節の背屈動作における反復拮抗運動不能を把握する検査である．

Ⅱ 検査肢位

座位．

Ⅲ 検査方法

1 一側の足部を床につけ，踵を床から離さずに足関節背屈・底屈動作を素早く繰り返す．
2 被検者に実施させて動作を観察し，続いて対側でも同様に実施する．

Ⅳ 判定基準

1 運動中にリズムの崩れや動作の緩慢さが認められれば，反復拮抗運動不能を疑う．
2 特に小脳障害では極端に動作緩慢となる．

座　位

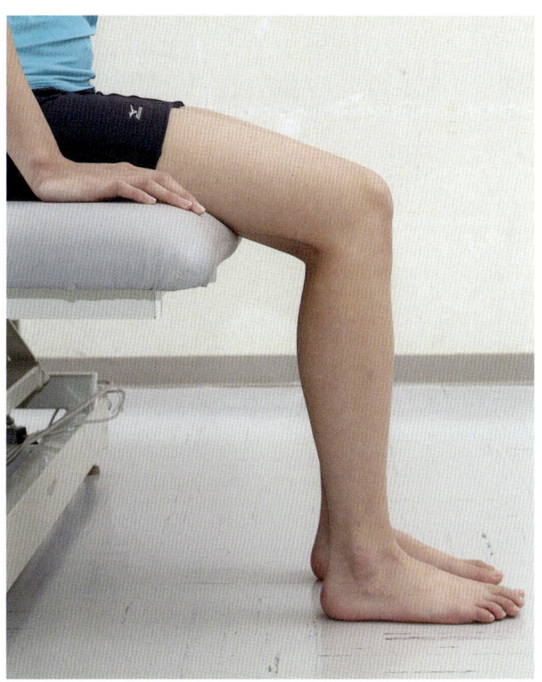

検査場面①

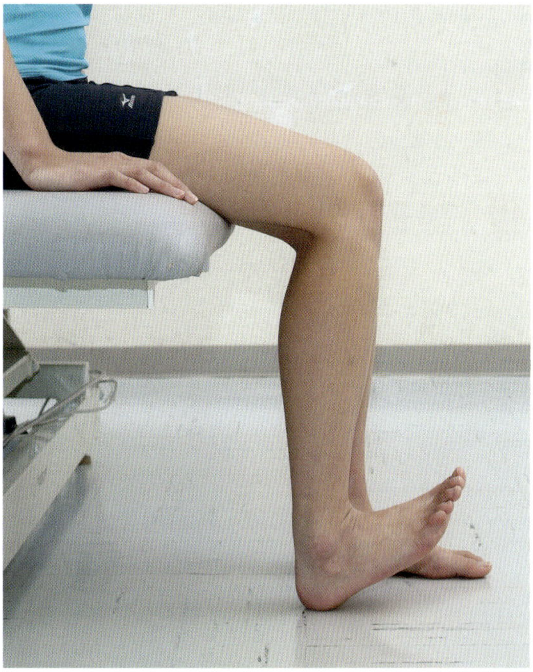

検査場面②

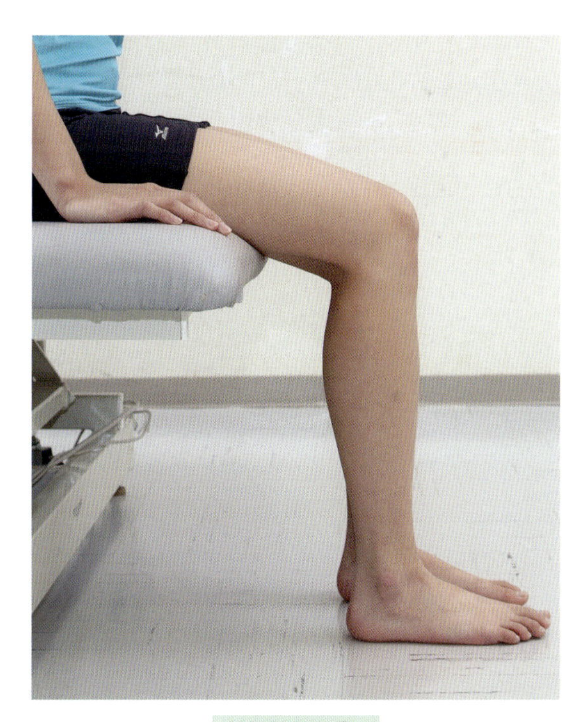

検査場面③

15 ロンベルク検査 

Ⅰ 意 義

ロンベルク検査（Romberg's test）は，立位保持において視覚が姿勢制御に与える影響を把握する検査である．

Ⅱ 検査肢位

立位．

Ⅲ 検査方法

1 検者は，デモンストレーションとして，両上肢を90°屈曲させた閉脚立位をとる動作の説明を行い実施する．

2 開眼にて被験者に同様の動作を実施させて立位保持における動揺を観察し，続いて閉眼でも実施する．

Ⅳ 判定基準

1 小脳性運動失調は，開眼時と閉眼時の動揺にあまり差を認めないが，深部感覚性失調の場合は，閉眼時の立位保持の動揺が顕著となる．この閉眼時に，動揺が大きくなる現象をロンベルク徴候陽性という．

Ⅴ 注意点

1 閉脚立位にて行う検査のため，基底面が狭く，閉眼もするので，転倒には十分注意する．

2 上肢を前方挙上させず，体側下垂位にて行う場合もある．

3 運動失調がなくても，深部感覚や表在感覚の障害によっても出現するため，必ずその他の運動失調検査で確認を行う．

立 位

検査場面①

検査場面②

16 スチュアート・ホームズ反跳現象

I 意　義

スチュアート・ホームズ反跳現象（Stewart-Holmes rebound phenomenon）は，小脳障害の有無を把握する現象（検査）である．

II 検査肢位

座位．

III 検査方法

1 被検者に検査肢の肘関節を軽度屈曲してもらう．
2 検者は一方の手で被検者の前腕を保持し，他方の手を被検者の胸の前に置く．
3 検者は被検者に肘関節屈曲運動を指示し，前腕を支えている手で肘関節屈曲運動を止めて等尺性収縮を行わせる．
4 検者は肘関節屈曲運動を止めている手を急に離し，検査肢の動きを観察する．

IV 判定基準

1 検者が急に手を離した際，検査肢が止まらず被検者の胸を強く叩いた場合を陽性とし，小脳障害を疑う．

V 注意点

1 小脳障害がある場合，胸や顔を強く叩いてしまう可能性があるため，検者は被検者の胸の前に置いた一方の手で必ず保護を行う．
2 この現象（検査）自体行わなくても，他の検査にて小脳障害を評価可能であるため，危険性が予測される場合には他の検査を用いる．

座　位

検査場面①

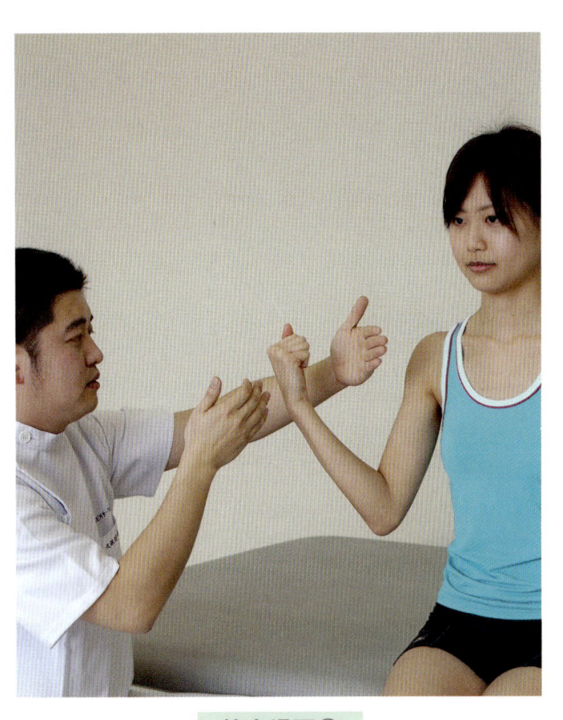

検査場面②

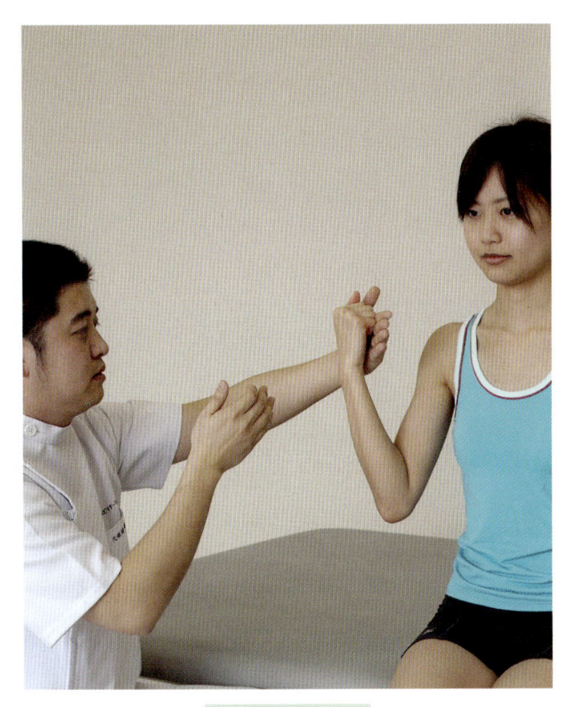

検査場面③

ポイント

・手を離した際，胸や顔を叩かないように注意する．

17 協働収縮不能・協働収縮異常「症」の試験

I 意 義

協働収縮不能・協働収縮異常「症」の試験は，姿勢や運動における協働収縮不能の有無を把握する検査である．日常で行われる動作は，単一の関節運動のみならず，いくつかの関節運動が組み合わさり一定の順序や調和が保たれて行われている．これを協働収縮といい，これが障害されている状態を協働収縮不能または協働収縮異常「症」という．

II 検査肢位

背臥位または立位．

III 検査方法

【立位での反り返り動作における協働収縮不能】

1 立位にて体を後ろに反るように指示し，姿勢を観察する．

【起き上がり動作における協働収縮不能】

1 背臥位にて両手を腕の前で組ませ，起き上がりを指示し，姿勢を観察する．

IV 判定基準

【立位での反り返り動作における協働収縮不能】

1 膝関節を屈曲させて後ろに反り返ることなく棒状に後方へ転倒した場合は陽性とし，協働収縮不能を疑う．

【起き上がり動作における協働収縮不能】

1 下肢，特に障害側の下肢をより高く上げ，起き上がれなければ陽性とし，協働収縮不能を疑う．

V 注意点

1 特に立位での反り返りは，転倒の危険性があるため十分に配慮を行う．

立位での反り返り動作における協働収縮不能の一例

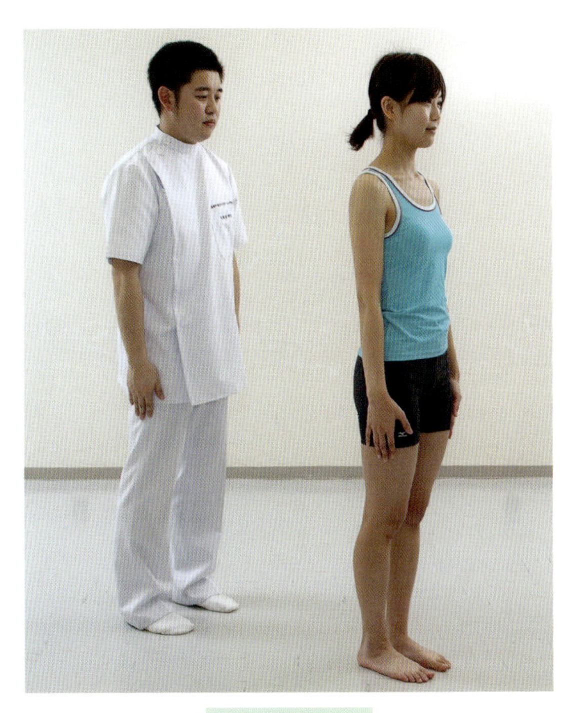

検査場面①

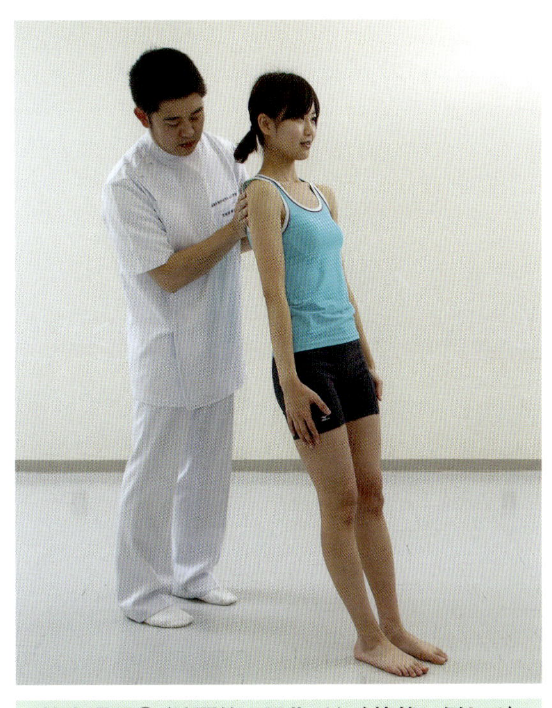

検査場面②（膝関節の屈曲がなく棒状に倒れる）

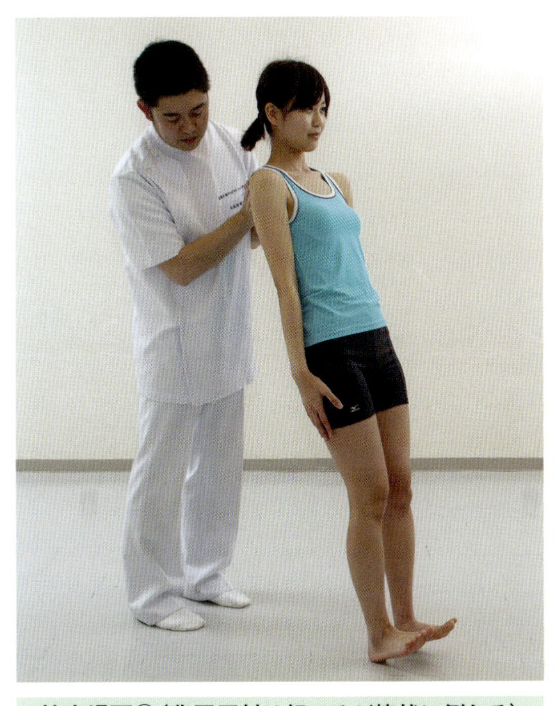

検査場面③（背屈反射は起こるが棒状に倒れる）

起き上がり動作における協働収縮不能の一例

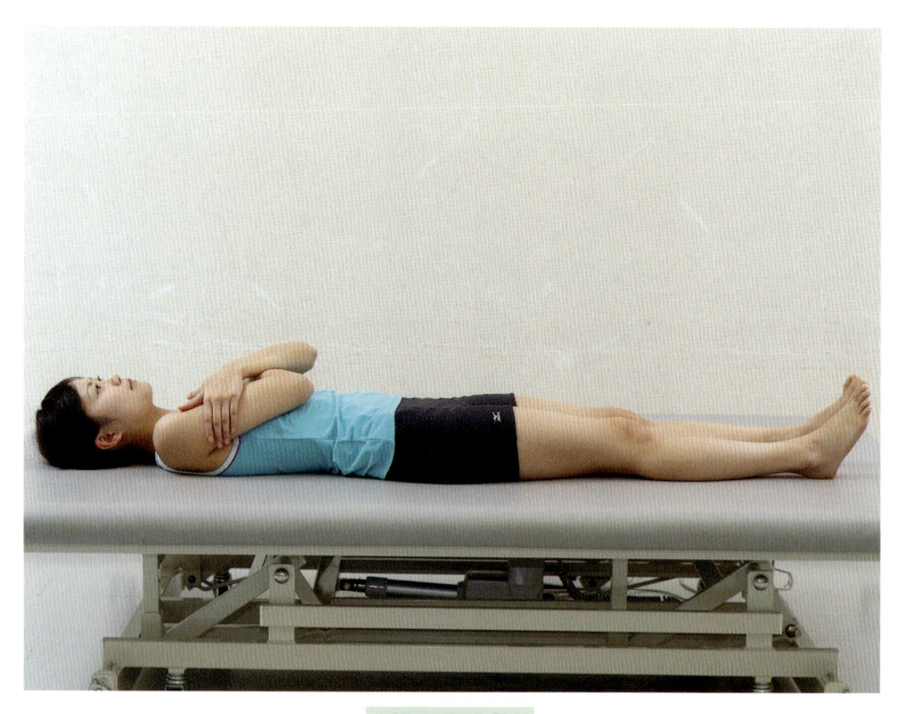

検査場面①

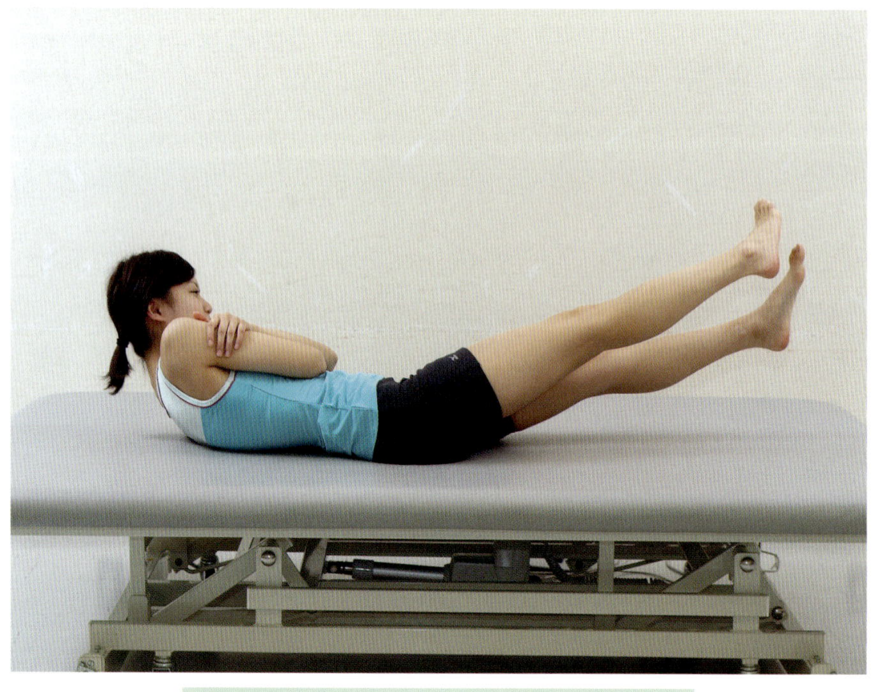

検査場面②（下肢挙上し，起き上がれない）

18 片足立ち検査 

Ⅰ 意　義

片足立ち検査（one-foot standing）は，片足立ち時の姿勢制御を把握する検査である．

Ⅱ 検査肢位

立位．

Ⅲ 検査方法

1 立位から片足を持ち上げ，片足立ちを行うように指示し，姿勢を観察する．

Ⅳ 判定基準

1 片足立ち時の姿勢動揺が認められた場合，筋力低下やバランス障害，小脳障害の可能性を疑う．
2 保持時間が5秒以下の場合，運動失調を疑うという報告もある．

Ⅴ 注意点

1 転倒の危険性に注意し，十分に配慮を行う．

Ⅵ Advance

・膝関節の筋力や失調を観察する目的で，支持脚の膝関節を屈曲させた片足立ちを行うこともある．

立 位

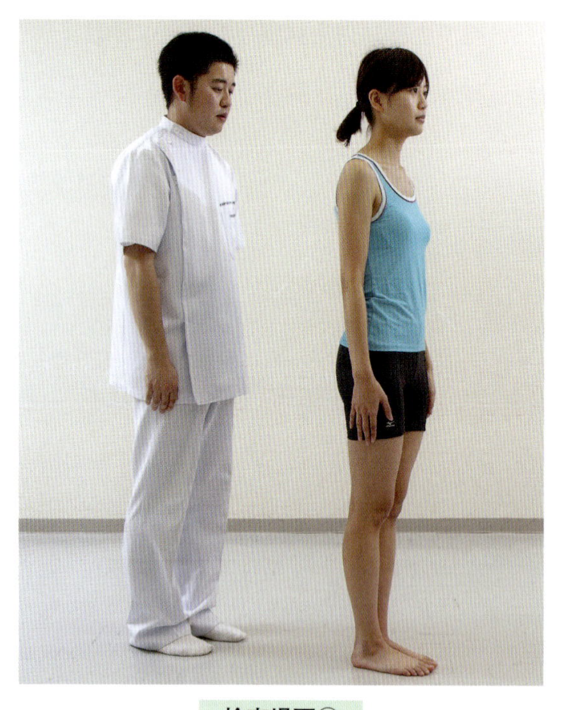

検査場面①

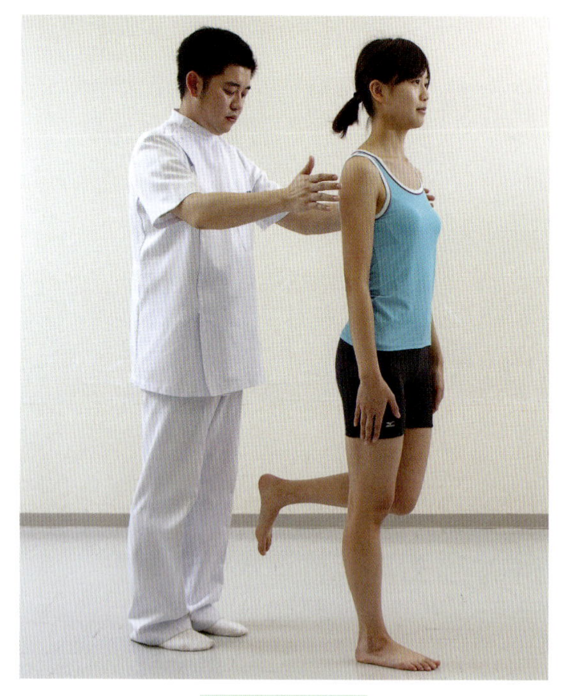

検査場面②

立位(膝関節屈曲位)

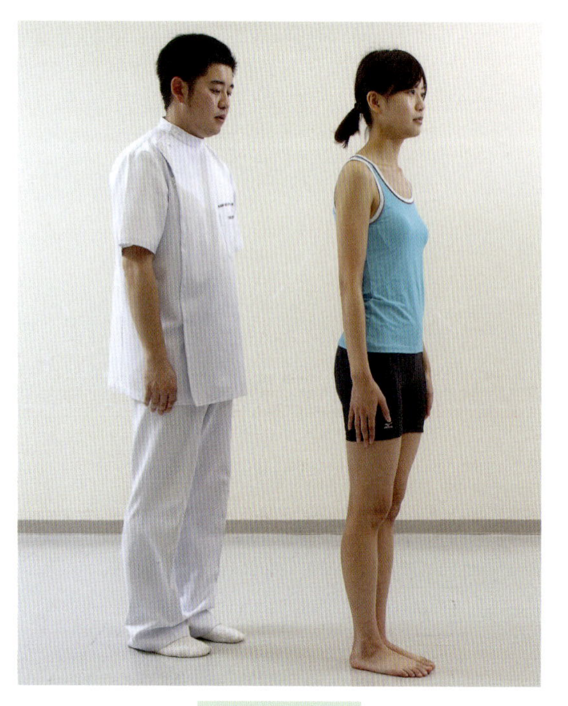

検査場面①

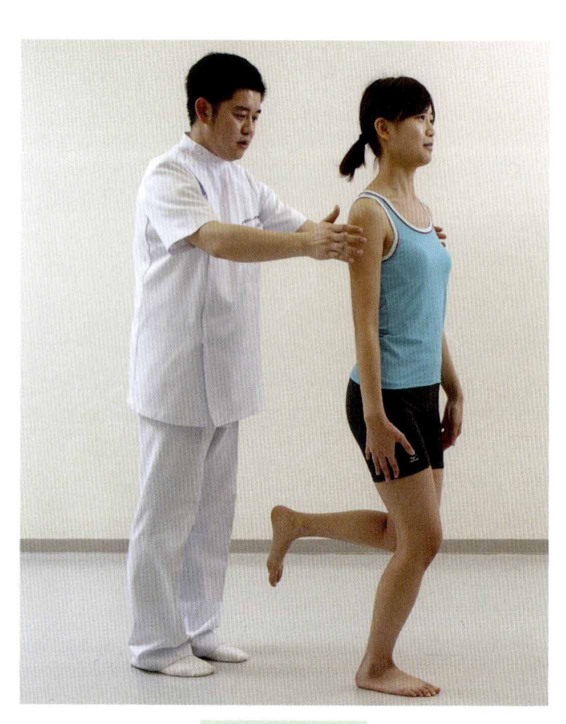

検査場面②

19 マン試験

I 意 義

マン試験（Mann test）は，両足を前後に縦一直線にして置いた立位時の姿勢制御を把握する検査である.

II 検査肢位

立位.

III 検査方法

1 検査は，デモンストレーションとして立位から片足を前方に出し，前足の踵と後足のつま先を付けて立位を保持する動作の説明を行う.

2 被検者に同様の動作を実施させて，姿勢を観察する.

IV 判定基準

1 姿勢動揺が認められた場合，筋力低下やバランス障害，小脳障害の可能性を疑う.

V 注意点

1 転倒の危険性に注意し，十分に配慮を行う.

2 高齢者においては，明らかな原疾患がないにもかかわらず動揺や転倒傾向を示す場合があるので注意する.

VI *Advance*

・開眼で検査を行うが，閉眼でも行い，その差を検討することでロンベルク試験よりも敏感に脊髄性運動失調を検出できる.

立　位

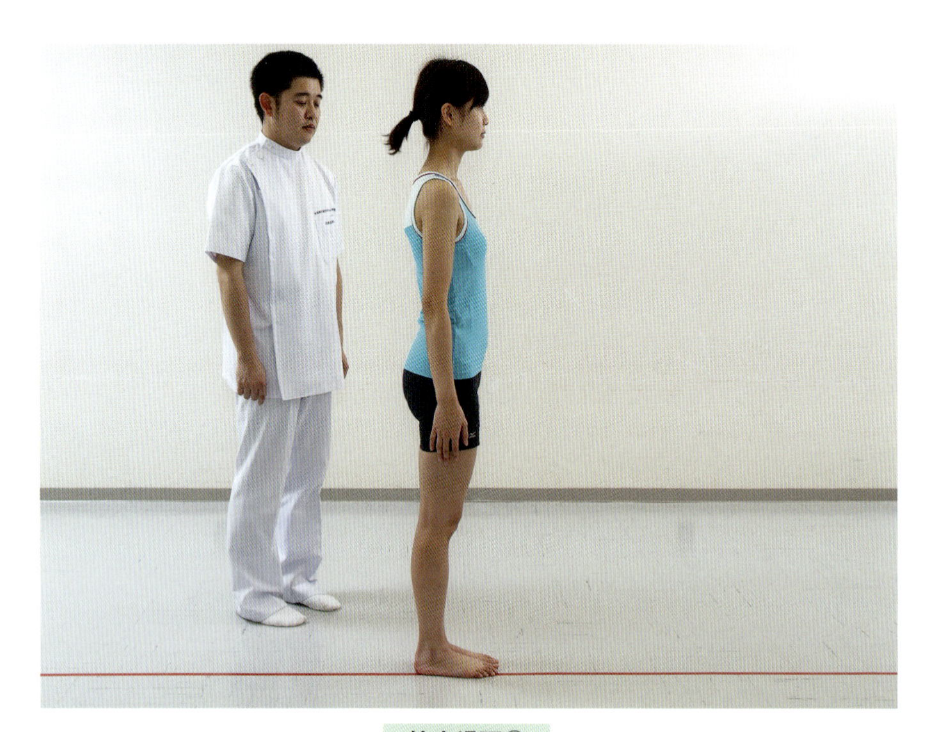

検査場面①

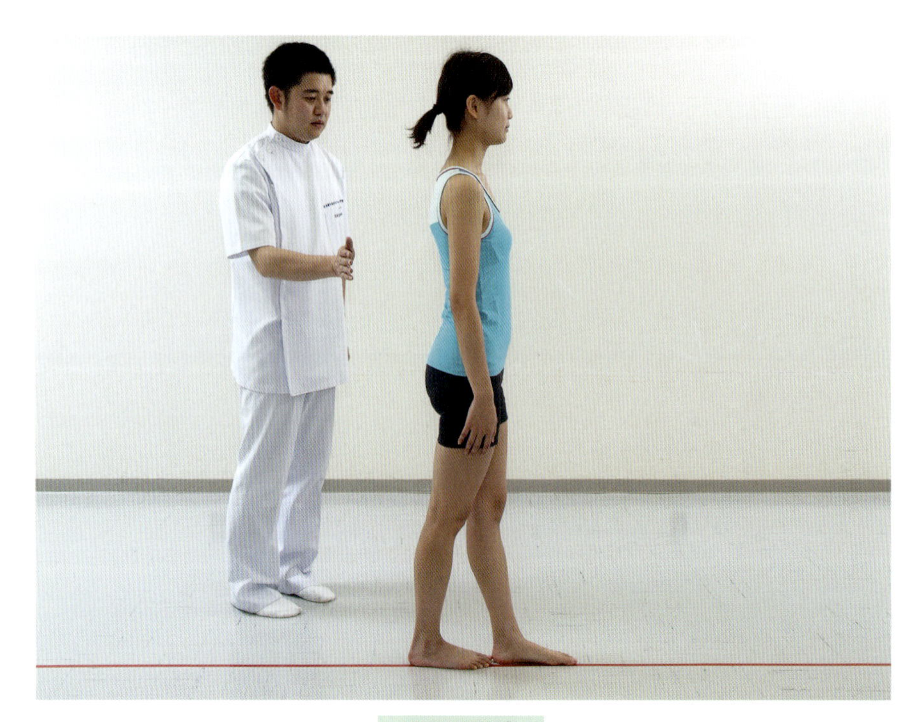

検査場面②

20 つぎ足歩行 

I 意 義

つぎ足歩行（tandem gait）は，床面に引いた一直線上をつぎ足で歩行した際の姿勢制御を把握する検査である．

II 検査方法

1 検者は，デモンストレーションとして立位から片足を前方へ出し，前足の踵と後足のつま先を付けて歩く動作の説明を行う．

2 被検者に同様の動作を実施させ，姿勢を観察する．

III 判定基準

1 姿勢動揺が認められた場合，筋力低下やバランス障害，小脳障害の可能性を疑う．

IV 注意点

1 小脳障害を認める場合は，過度に動揺や転倒が観察されるため十分に注意する．

V Advance

・開眼で検査を行うが，閉眼で行った場合は障害側へ偏倚または転倒することが多い．

立 位

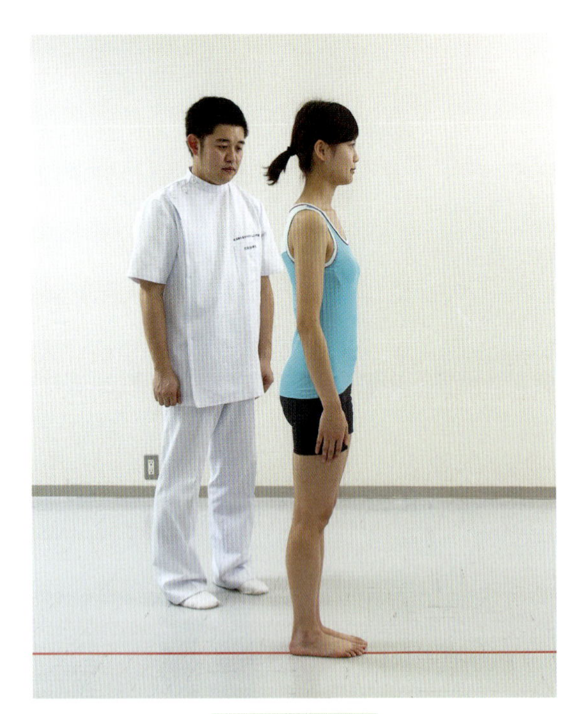

検査場面①

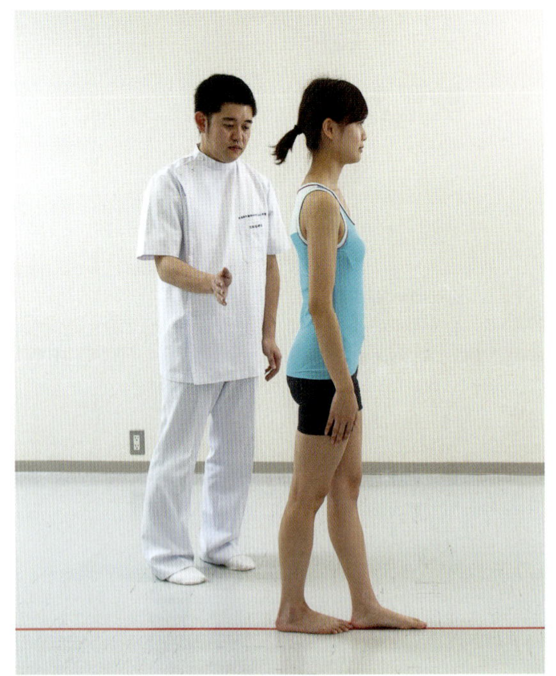

検査場面②

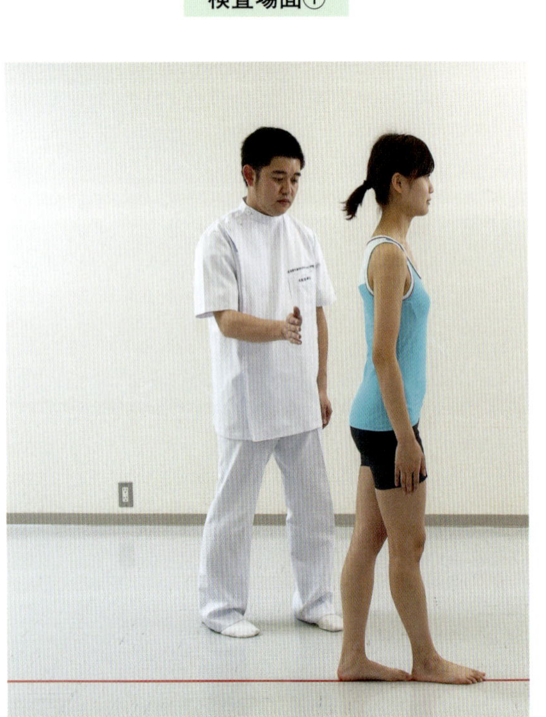

検査場面③

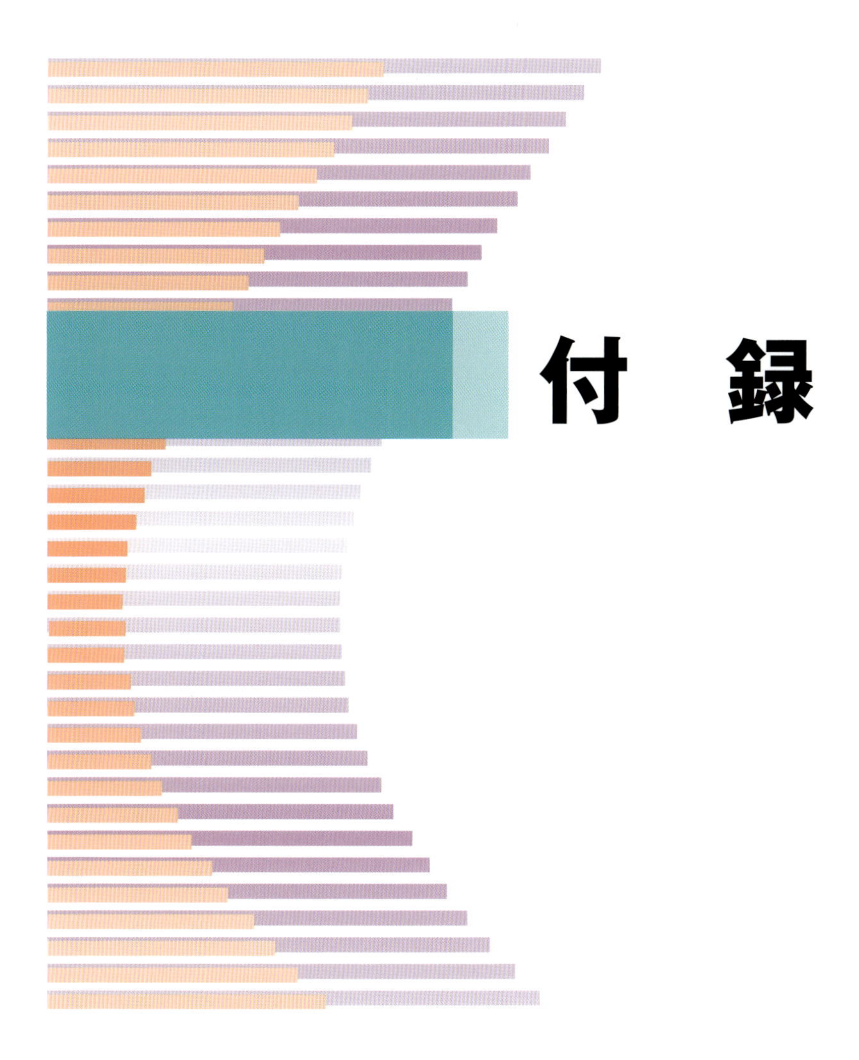

付　録

関節可動域の確認（上肢・下肢）

各検査を行う前にスクリーニングとして関節可動域を確認することは重要である．以下に主な関節に関して簡単な可動域の確認方法を記載する．なお，スクリーニングで可動域制限が認められた場合はゴニオメーターを用いて ROM 測定を行う（本シリーズ「ROM 測定」を参照）．

肩関節屈曲①（座位）

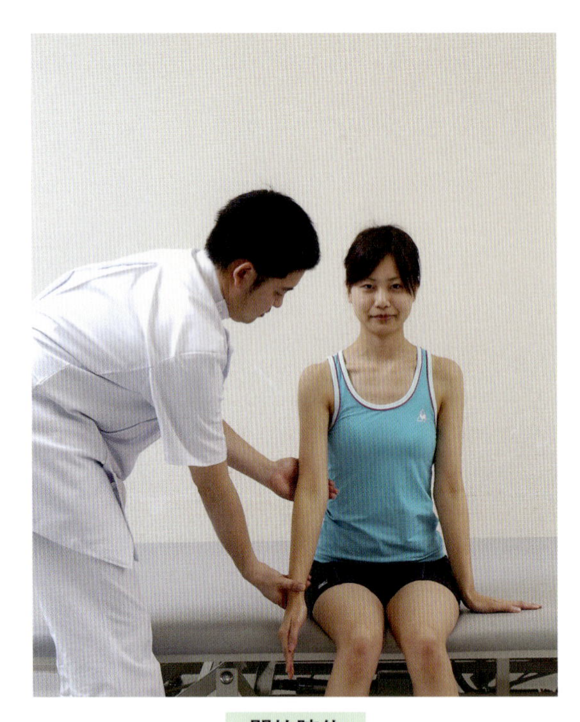

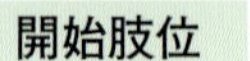

開始肢位

終了肢位

肩関節屈曲②（背臥位）

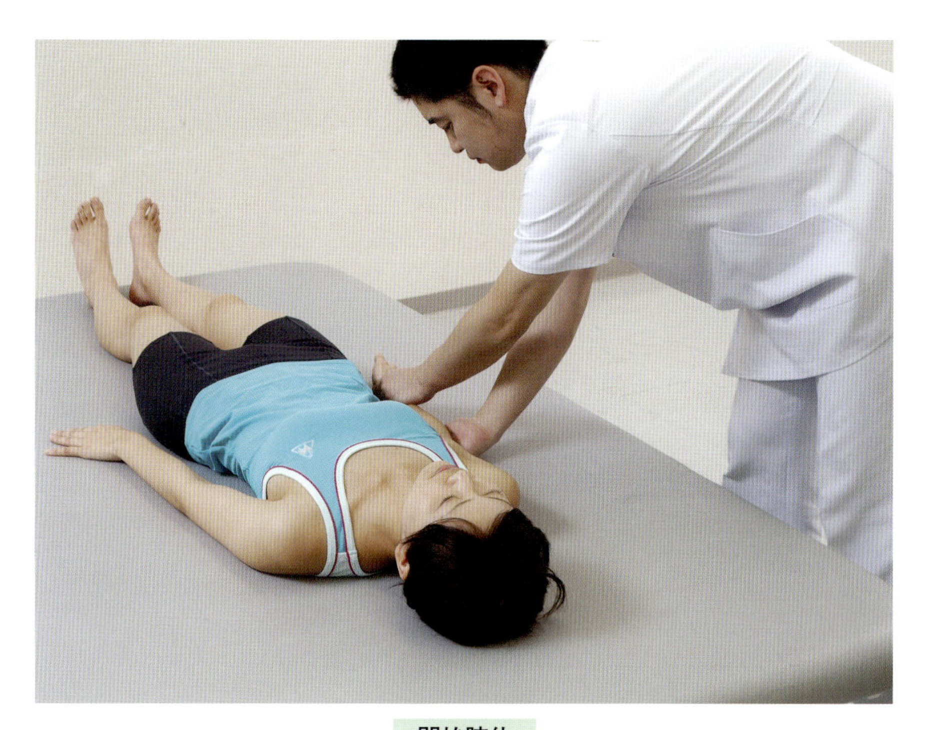

開始肢位

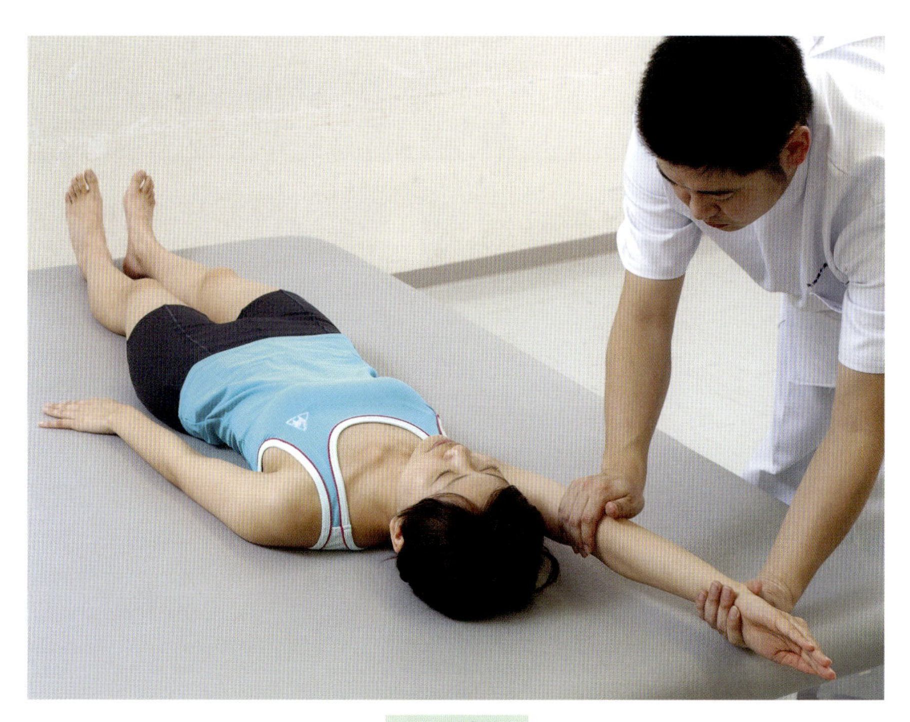

終了肢位

肩関節内旋・外旋

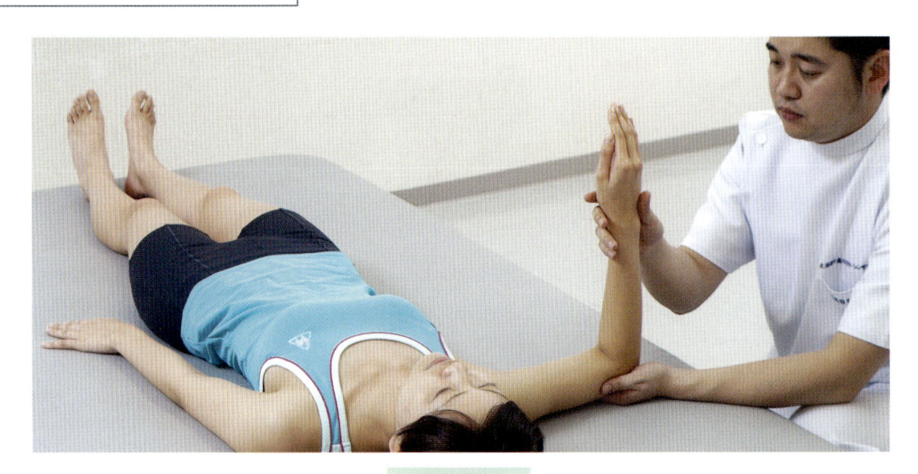

開始肢位

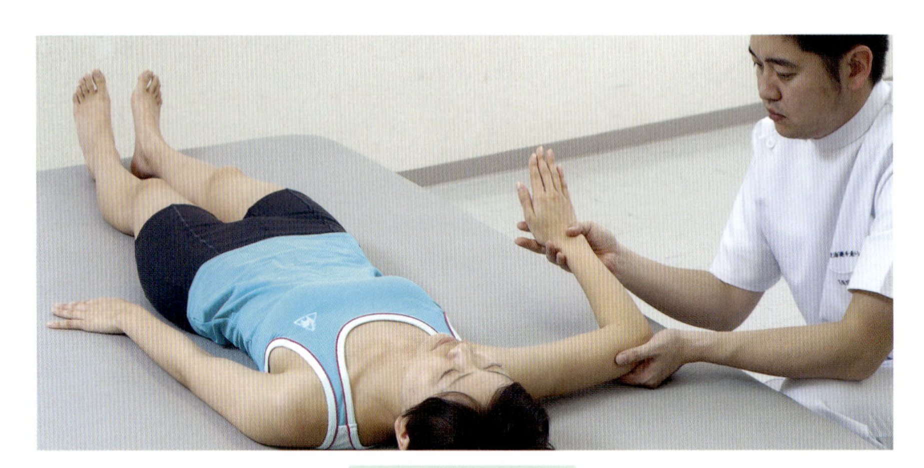

終了肢位（内旋）

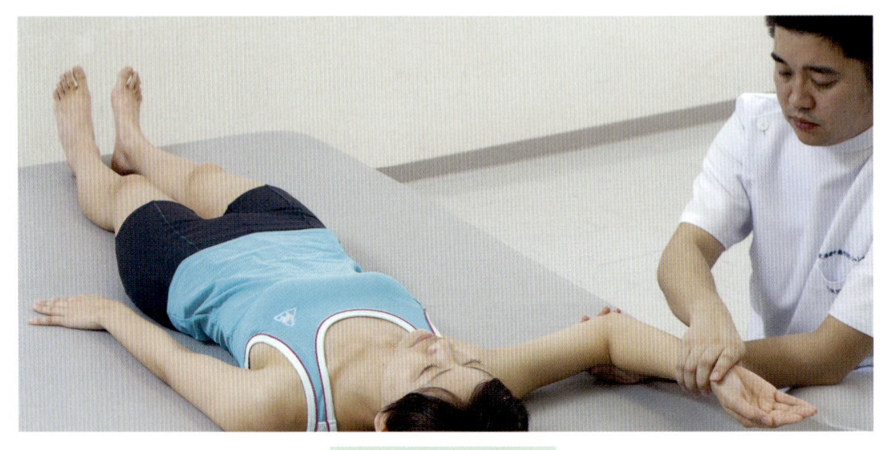

終了肢位（外旋）

肩関節伸展・内旋

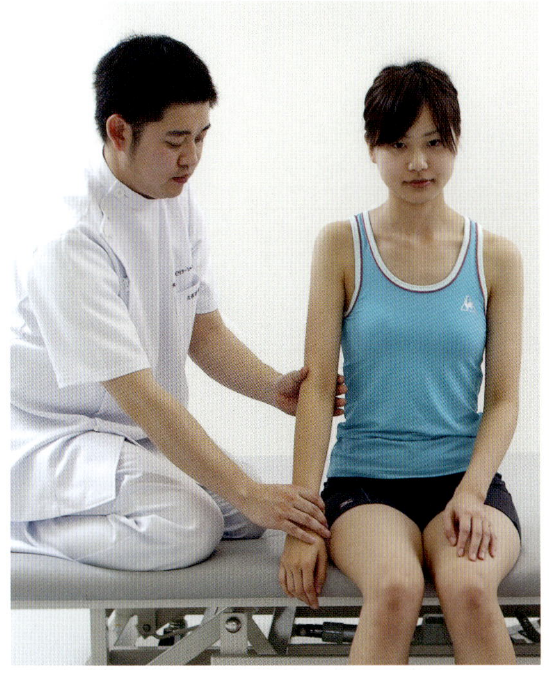

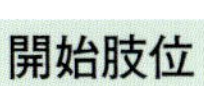

開始肢位

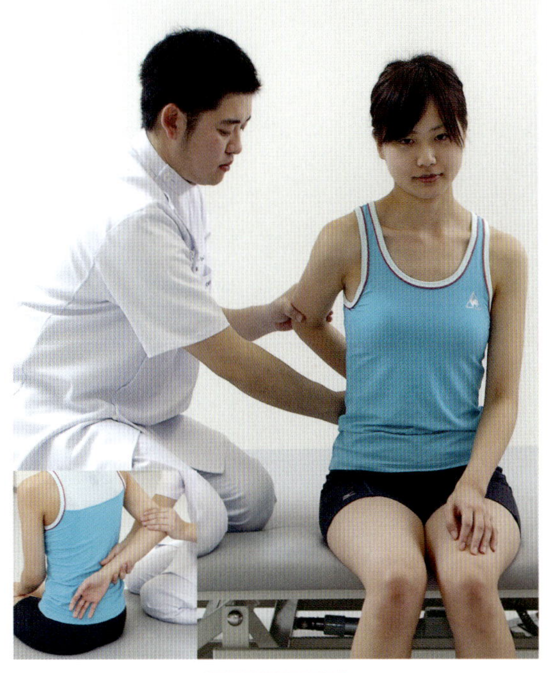

終了肢位

股関節屈曲・膝関節屈曲

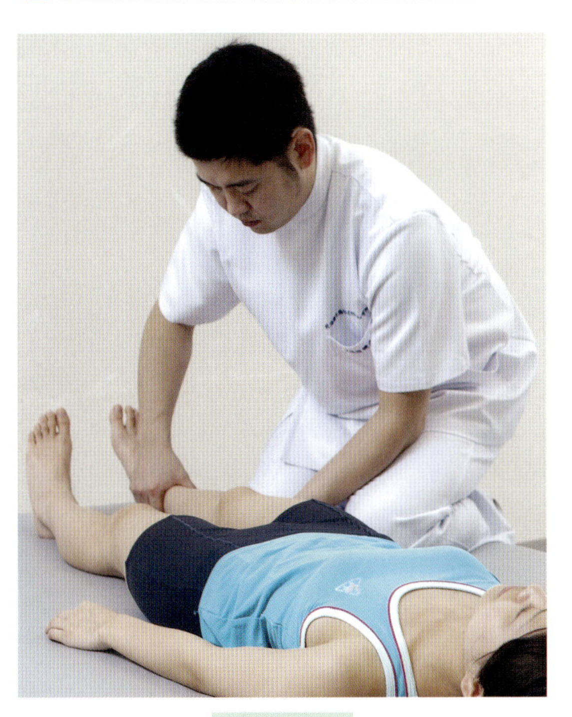

開始肢位

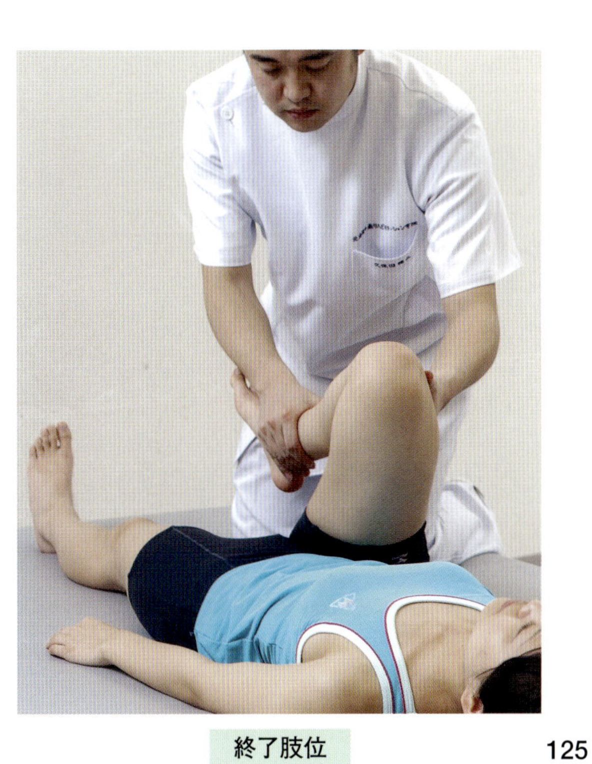

終了肢位

股関節内旋・外旋

終了肢位（股関節内旋）

終了肢位（股関節外旋）

股関節外転

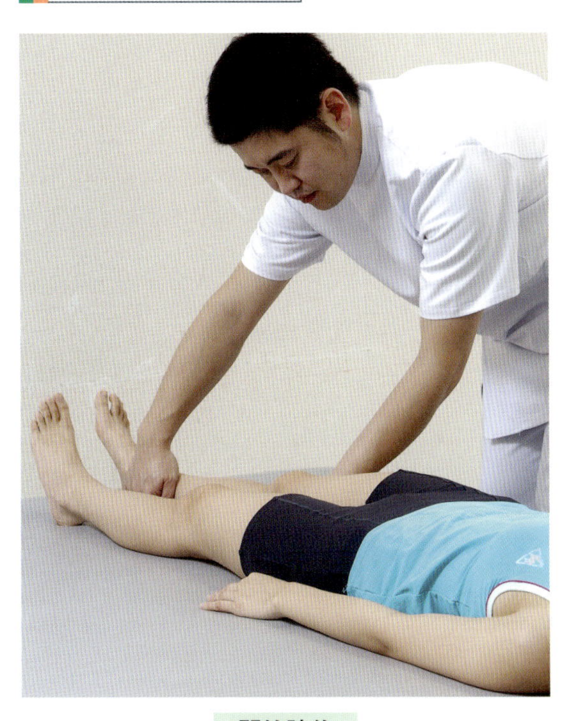

開始肢位

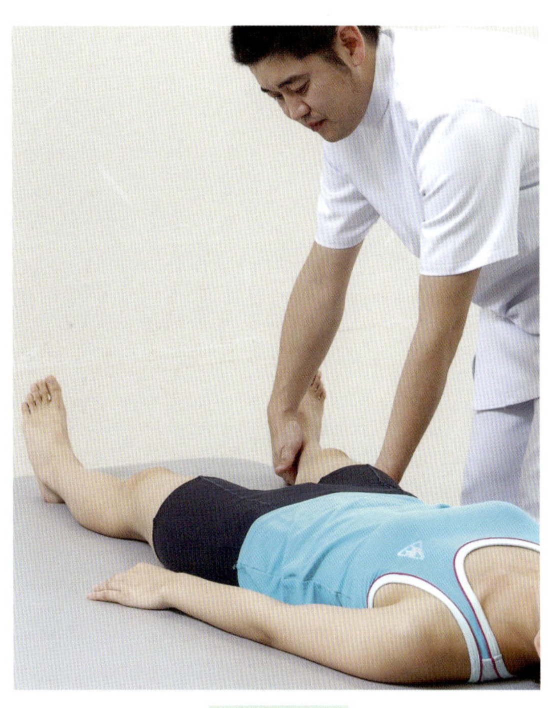

終了肢位

足関節背屈

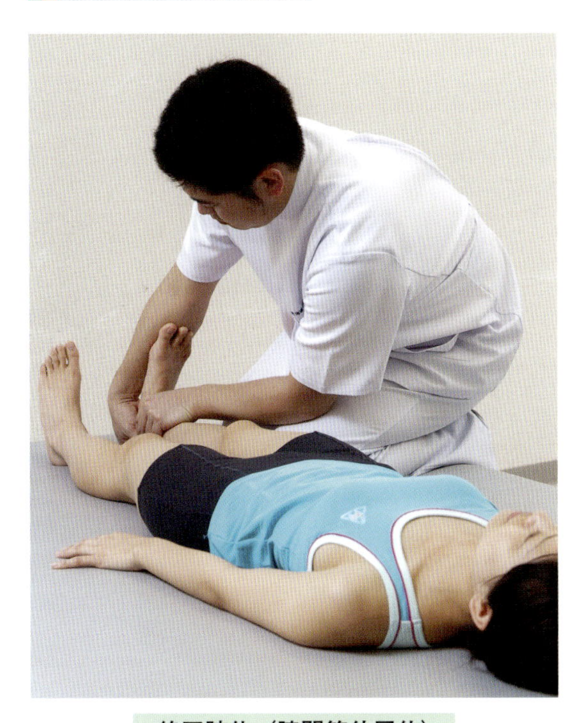

終了肢位（膝関節伸展位）

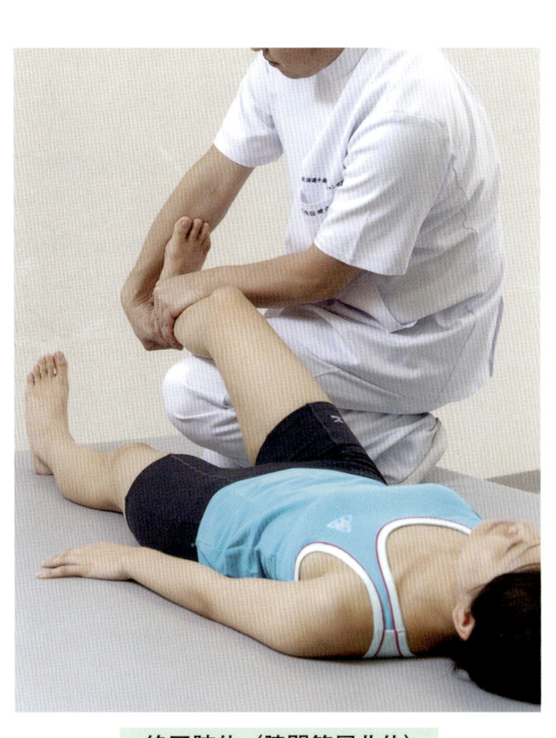

終了肢位（膝関節屈曲位）

※ 追加情報がある場合は弊社ウェブサイト内「正誤表／補足情報」のページに掲載いたします．
https://www.miwapubl.com/user_data/supplement.php

PT・OTのための測定評価シリーズ7

片麻痺機能検査・協調性検査　新装版

発　行	2015年 1 月 5 日　第1版第1刷
	2020年 3 月 10 日　第1版第2刷
	2024年 3 月 1 日　新装版第1刷Ⓒ
監　修	伊藤俊一
編　集	久保田健太，隈元庸夫
発行者	青山　智
発行所	株式会社 三輪書店
	〒113-0033 東京都文京区本郷 6-17-9　本郷綱ビル
	☎ 03-3816-7796　FAX 03-3816-7756
	http://www.miwapubl.com
印刷所	三報社印刷 株式会社

ISBN 978-4-89590-812-2　C3047

本書は，「PT・OTのための測定評価 DVD Series 7 片麻痺機能検査・協調性検査」のDVDをWeb動画に変更したことに伴い，シリーズ名と装丁を改めた新装版です．内容に変更はありません．